テクノ新世　技術は神を超えるか

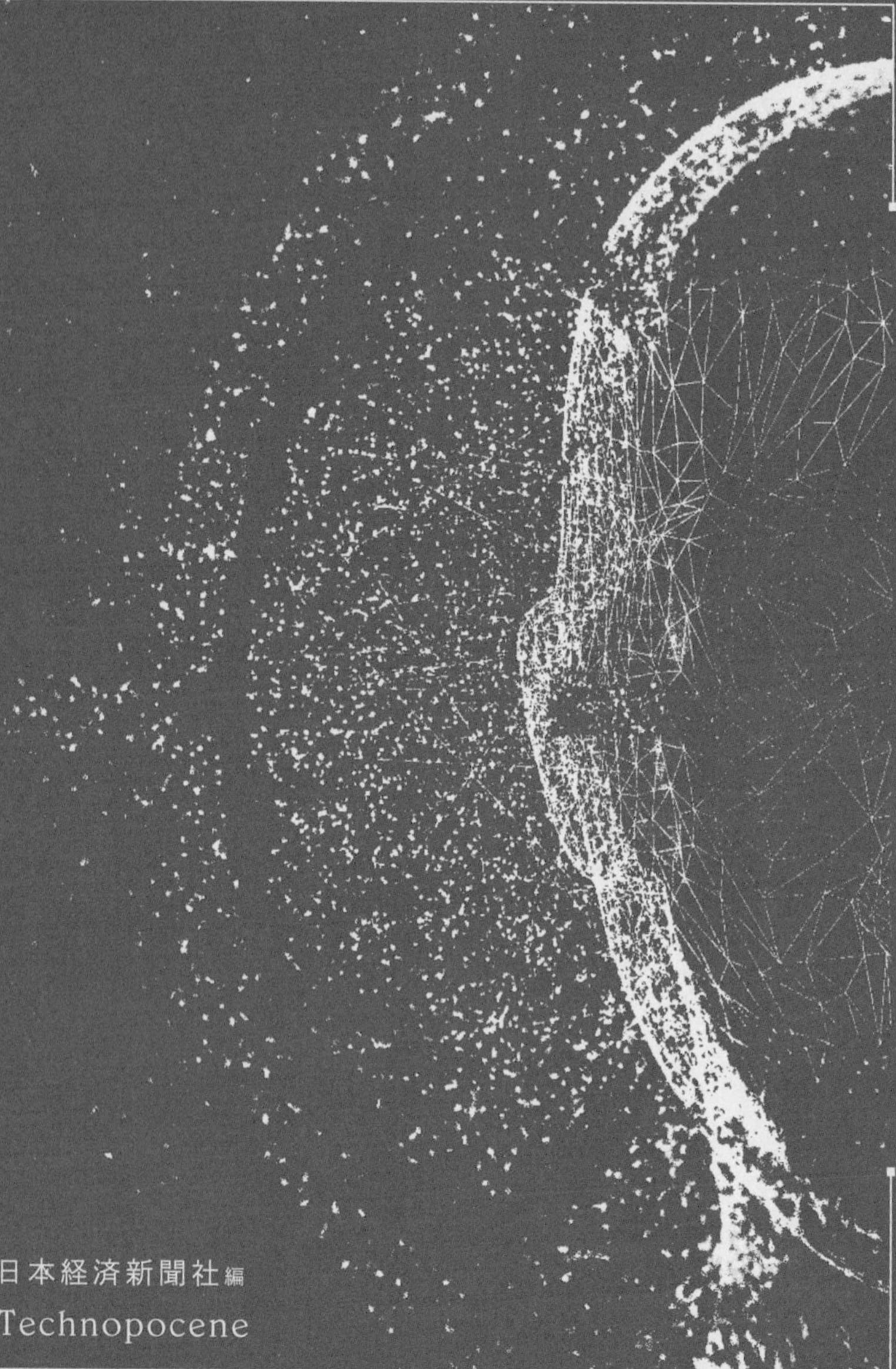

日本経済新聞社 編

Technopocene

日本経済新聞出版

はじめに

本書を貫くテーマは「人類とテクノロジーのゆくえ」です。現在の革新的な技術を紹介するだけでなく、それがもたらす真のインパクトについて考え、未来図を描く。展開するのは文明論です。

今までとは次元の違う進化がテクノロジーに起きている。そんな予感を抱いて取材班を結成したのは２０２３年春でした。前年11月に公開された対話型ＡＩ（人工知能）「Ｃｈａｔ（チャット）ＧＰＴ」の衝撃がじわじわ広がっていた頃です。人間よりも情報処理にたけ、人間同様に言語を操るＡＩが出現すると、何が起きるのか。世界が注目した最初のアクションは、米ハリウッドの脚本家によるストライキでしょう。創造や表現という、機械にはできないとみなされていた知的労働をやすやすと代替され、仕事を奪われる——。脚本家たちが訴えた不安と危機感が、問題を提起しました。すなわち人知を超えるテクノロジーとどう向き合い、どのように使いこなせばよいのか。地上の覇者となって初めての問いに人類は直面したのです。

ＡＩに限らず、最先端の科学技術がもたらすのは、今日の日常的な感覚やモラルで受け入れられるものばかりではありません。2人の父親から誕生する子ども、クローンペット、

不老長寿の追求など、とりわけ生命科学の領域で進んでいる研究や実践例は論争を呼んでいます。是非の判断は読者にゆだね、倫理的な問題については哲学者や思想家のインタビューを通じて整理し、補いました。

2人の作家には書き下ろし小説を依頼しました。記者が書けるのは、すでに起きたか起きつつあるファクトだけです。ルポルタージュに未来予想は描けません。作家の想像力を借りてその限界を突破し、きたるべき社会と人々の暮らしを見せたいと考えました。円城塔氏と津村記久子氏という最高の書き手による企画が実現しました。

いずれも日本経済新聞と電子版に掲載した記事をもとに構成しています。連載を続けた約1年の間にも、取材したエピソードはどんどん更新されました。生成ＡＩの性能は飛躍的に向上し、ネットの偽情報はより巧妙になり、気候変動の影響は深刻化し、日本の探査機が月面の着地に成功しました。脳とコンピューターを直接つなぐブレイン・マシン・インターフェース（ＢＭＩ）のように、ほとんどＳＦだと思われていた技術も実用に近づきつつあります。

進化のスピードが肌感覚を上回って速いこと、内容がごく一部の専門家にしか理解できないほど高度になったことから、テクノロジーに対する脅威論はかつてなく高まっています。しかし、使いこなすのはあくまで人間です。今後「善きテクノロジー」を巡る議論は、

ますます人間性を巡る議論へと接近していくでしょう。

「テクノ新世」はテクノロジーと人新世を掛け合わせた造語です。人新世は人類が地球に刻む新たな年代をさす概念ですが、その先には、ひょっとしたらテクノロジーが地質学上の分類をなす時代が来るかもしれない。そこに広がるのは人間不在の荒野ではなく、真の知性と理性がコントロールする豊かな世界であってほしい。そんな願いもこめました。

人類とテクノロジーがともに拓く未来の年代記「テクノ新世」へようこそ。

日本経済新聞社　ニュース・エディター　白木緑

（本書は２０２３年６月〜24年６月の日本経済新聞と電子版の連載をもとに加筆・再構成した。本文中の年齢や役職、為替換算、事実関係は原則として掲載時のままとした）

テクノ新世　技術は神を超えるか●目次

第1章

岐路に立つ人類

1

親切なＡＩは人を衰退させるか
「人新世」終わらせる技術

石器の発明から約３００万年。人類は脆弱な肉体を道具と知恵で補い、生態系の頂点に立った。テクノロジーは指数関数的な進化を遂げ、人工知能（ＡＩ）は人間の覇権を脅かすまでになった。地球史の新たな時代「テクノ新世」が幕を開ける。

◇

「まさか医者がＡＩに惨敗するなんて」。米南部テネシー州に帰省中だった医師のデイビー・スミスさんは２０２３年1月、同僚の電子メールを読んでがくぜんとした。

スミスさんらは対話型ＡＩ「Ｃｈａｔ（チャット）ＧＰＴ」と医師に同じ質問をなげかけ、どちらが優れた回答をするかを調べた。専門家らが下した判定は「ＡＩの圧勝」。情報の質の高さを示す指標は３・６倍、共感力は約10倍の差がついた。

AIが人々の雇用を奪うとの懸念が強まっている（23年5月、米カリフォルニア州ハリウッドのストライキ）

○ 25%の仕事を代替

〈それはとてもお気の毒でしたね。きれいな水で目頭から目尻まで優しく洗いましょう。痛みや充血があれば医師の診察を受けてくださいね〉。「漂白剤が目に入った」という相談に、ＡＩの回答はいたわりの言葉から始まる。淡々と説明する医師とは対照的だった。

　ＡＩは疲れることもいらだつこともない。待ち時間なく診察を受けられるなら患者にはいいことずくめだ。ただ便利さと引き換えに、専門教育を受けた医師もＡＩが代替する未来がちらつく。米ゴールドマン・サックスは事務や法務など米国の仕事の４分の１が将来自動化されると予測す

る。

40億年前に誕生した生命は、栄華と衰退を繰り返してきた。６６００万年前の恐竜絶滅を経て、30万年前に姿を現したホモ・サピエンスが地上の覇者となった。だが人類が今直面するのは、ヒトの能力をはるかに超えて地球の命運を揺るがすテクノロジーの奔流だ。

「地球を冷やす」。米新興企業メーク・サンセッツは23年2月、米西部ネバダ州で二酸化硫黄（SO_2）を運ぶ気球を打ち上げた。上空に散布し、太陽光を反射して地球温暖化を防ぐという。SO_2がつくる1グラムの雲の粒は1トンの二酸化炭素（CO_2）がもたらす温暖化の影響を相殺すると主張する。

惑星の環境を改変する神の領域にも近い技術だが、大気汚染や災害を引き起こす恐れもある。科学者の間で「新たなリスクをもたらす」と否定的な声は多い。

テクノロジーは敵か味方か。産業革命に沸く19世紀の大英帝国では、失業を恐れた労働者が機械を打ち壊す「ラッダイト運動」が起きた。政府は軍を動員して暴動を鎮め、国力の礎を築いた。それから約２００年。テクノロジーが社会に与える衝撃は当時の機械とは比べものにならない。

図表1　地球上の人工物の重量が生物の総量に等しくなってきた

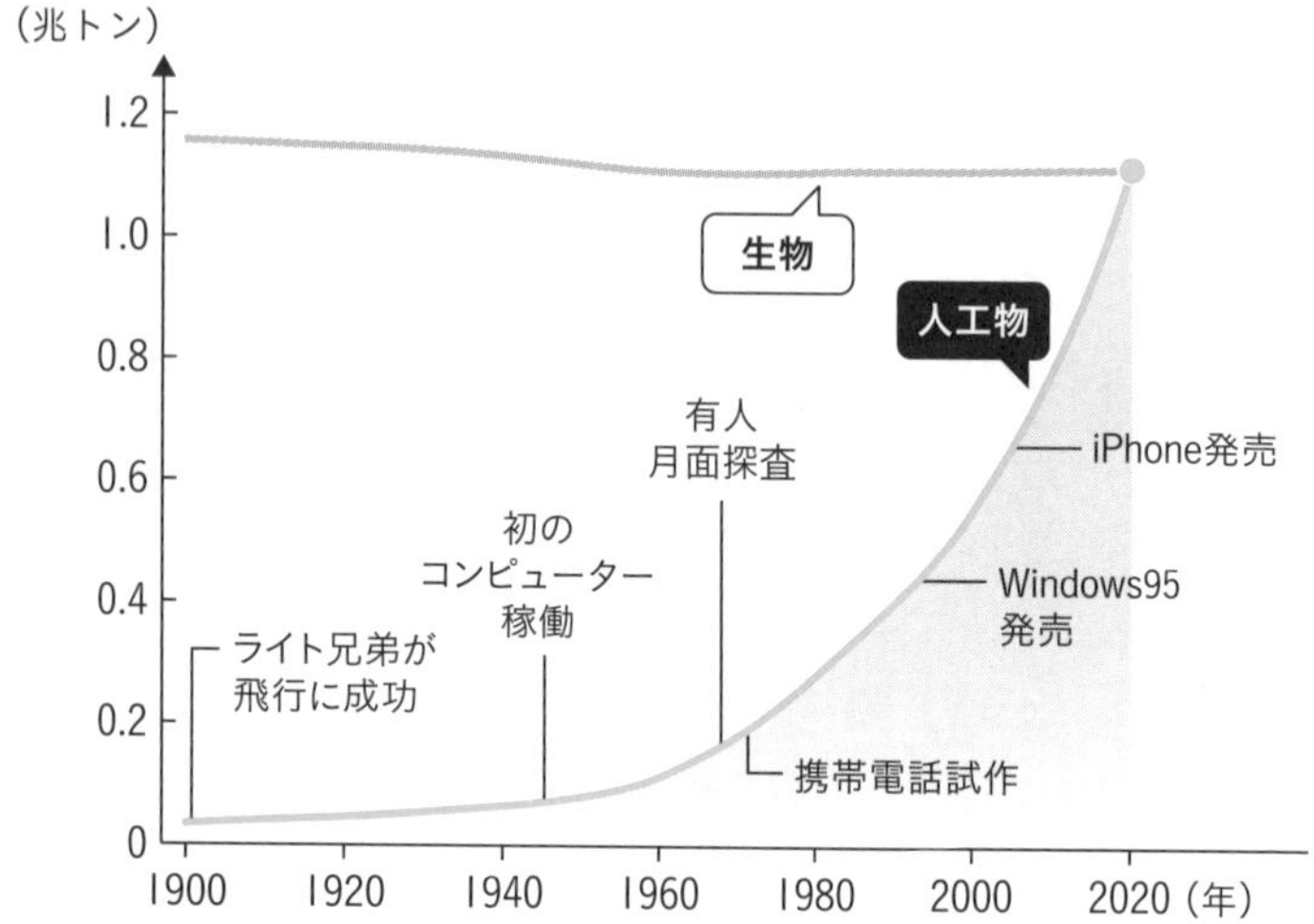

(出所)ワイツマン科学研究所

◎「男性から卵子」

ＡＩによる人類絶滅のリスクは核戦争に匹敵する——。ＡＩ研究の大家ジェフリー・ヒントン氏ら３５０人超は23年５月末、共同声明に署名した。

声明をまとめた団体は、ＡＩがもたらすリスクの一つに「衰弱」を挙げる。重要な判断を機械に託すようになると、人間は知識やスキルを得る動機が減る。いずれ人類は衰え、自治能力を失う恐れがあると警告する。

一方、米マッキンゼー・アンド・カンパニーは23年、生成ＡＩが年最大４・４兆ドル（約６３０兆円）の経済価値をもたらすと試算した。先端技術への評価が割れるな

か、社会は変革を迫られる。

「10年もすれば人間の男性の細胞からも卵子がつくれる」。林克彦大阪大学教授は2匹のオスのネズミから子どもをつくる実験に成功した。

カギになったのは06年に山中伸弥京都大学教授が作製に成功したiPS細胞だ。オスの尾からiPS細胞を育て、オスの性をつかさどる染色体を消し卵子に変えた。別のオスの精子を受精してメスの子宮に入れると健康な子どもが生まれた。

どんな細胞でも時計の針を巻き戻し、性別の壁もやすやすと越える。同性カップルの子どもや自分のクローンすら実現可能だ。家族を巡る社会制度が矛盾を来す日も近い。

テクノロジーは人間の欲望をかなえる魔法の道具だった。イスラエルのワイツマン科学研究所によると人類が生み出した人工物の重さは、地球上の全生物の総量に匹敵するまでに増えた。「人類の時代」を意味する新たな地質年代「人新世」を設ける議論が進む。ただ破壊的なイノベーションはヒトの限界を踏み越える。人類に代わりテクノロジーが覇権を握る「テクノ新世」の到来も予感させる。技術を脅威とみなすか、それとも共生を探るか。

人類は地球史の分岐点に立つ。

○画像生成ＡＩが持つ2つの顔　フェイクも「民主化」

何が本当で、何がウソか。事実と虚構の境界が、人工知能（ＡＩ）の進化によってますます不鮮明になっている。

米国防総省付近で爆発が起きた――。２０２３年5月、ＳＮＳでデマが拡散し、米国の株価が一時的に下落する事態が発生した。ＡＩで作成したとみられる爆発の画像によって信ぴょう性が増し、短時間とはいえ「真実」と受け止められて混乱につながった。

騒動はこの1件に限らない。23年3月には若者風のファッションに身を包むローマ教皇や、警官に囲まれて拘束されるトランプ前米大統領の偽画像が出回った。6月に入り、ロシアの一部地域でプーチン大統領が演説する偽の動画が放映されたと報じられた。

こうした虚偽の画像や動画の存在はこれまでも問題視されてきた。作成過程が不透明なケースも多いが、パッと見て事実と勘違いしてしまう人がいてもおかしくはない。ＡＩの技術が急速に発展するなか、脅威が深刻化する恐れも指摘される。

22年に登場した「Midjourney（ミッドジャーニー）」や「Stable Diffusion（ステーブル・ディフュージョン）」といった画像生成ＡＩは、「プロンプト（呪文）」と呼ばれる指示文を入力するだけで精巧な画像をつくりだせるのが特徴だ。絵心がない人であっても息をのむよう

な美しい風景画や写真のようにリアルな光景を描くことができる。アニメに出てきそうなキャラクターなどの描画も可能だ。人間の創造性を拡張し、娯楽や広告といった分野で力を発揮すると大きな期待を集める。

だが、画像生成ＡＩが生むのは光だけではない。ＡＩの専門知識を持たなくても簡単にフェイク画像を作成できるため、悪意をもって利用すれば人を欺くすべにもなってしまう。いわば「もろ刃の剣」だ。

「ほとんどの市民が事実とフィクションを区別できなくなる」。米ユーラシア・グループは23年の10大リスクの3番目にＡＩがもたらす混乱をあげ「偽情報が横行し、社会的連帯、商業、民主主義の基盤である信頼がさらに損なわれる」と警鐘を鳴らした。

ロシアのウクライナ侵攻や緊迫化する台湾情勢など世界は今、不安定な状況にある。ＡＩが生み出す偽情報が誤解や不信を生み、危ういバランスを崩す恐れがないとは言い切れない。

画像生成ＡＩに続いて22年に登場した対話型ＡＩ「Ｃｈａｔ（チャット）ＧＰＴ」は瞬く間に世界で利用が広がり、新しいＡＩ時代の到来を印象づけた。一握りの企業や研究者、技術者にとどまらず、ふつうの人たちがＡＩを操る「民主化」が一気に進んだ。

それ自体は歓迎すべきことだが、Ｃｈａｔ（チャット）ＧＰＴのような言葉を巧みに操る

ＡＩも事実とは異なる内容をもっともらしく生成する「ハルシネーション（幻覚）」と呼ばれる現象が課題として指摘される。画像生成ＡＩを巡っては著作権上の問題も議論を呼ぶ。

文章や画像を生成するＡＩは、生産性の飛躍的な向上などに効果を発揮する可能性を秘める。問題はどう社会に受け入れられる形で普及させていくか。インパクトの大きい技術なだけに、扱う人間側の賢さが求められる。

2

国民の意見、8割が偽投稿 19歳が揺るがした民主主義

米民主主義を揺るがしたのは19歳の大学生だった。

標的となったのは、通信会社への一部規制を緩和する米連邦通信委員会（ＦＣＣ）の法案だ。カリフォルニア州の大学生はメールアドレスを大量発行するサービスや、でたらめな氏名や住所を生成できるウェブサイトを使い、７７０万件もの反対意見を送りつけた。

通信大手などの団体が数百万ドルを投じて専門業者に８５０万件の賛成意見を投稿させていたことも発覚。関わった業者３社は２０２３年５月、計61万５０００ドル（約９０００万円）の罰金処分を受けた。

法案のパブリックコメント２２００万件のうち偽投稿は８割超の約１８００万件にのぼった。国民の意見を政策に生かす民主主義のルールは破綻寸前だ。ニューヨーク州のジェームズ司法長官は「国民の声がかき消された」と訴える。

図表2　法案へのパブコメを偽投稿が埋め尽くした

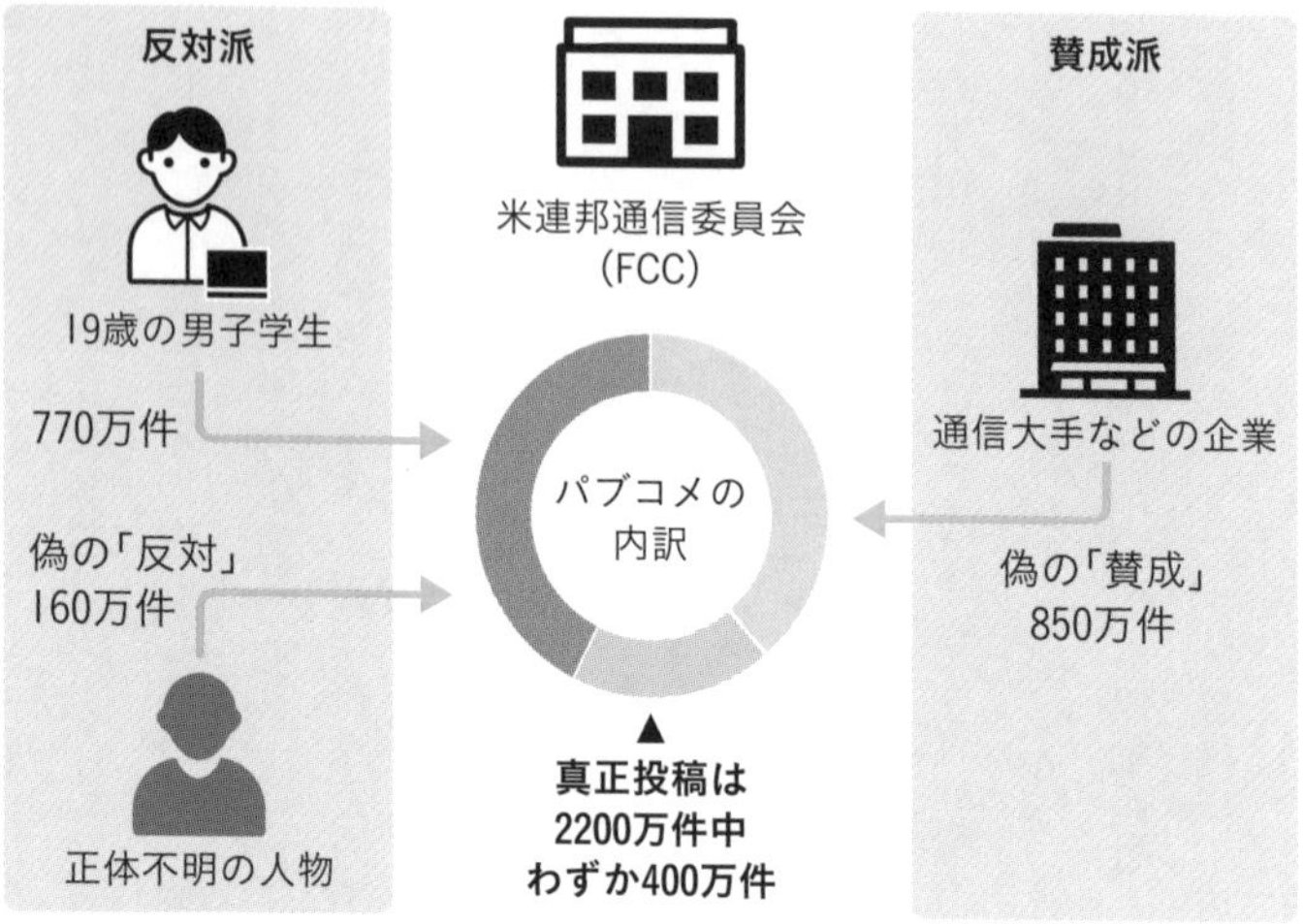

テクノロジーによる情報工作

金融市場を震撼《しんかん》させた23年3月の米銀行の連鎖破綻。その陰でもテクノロジーによる情報工作が働いていた。イスラエルの調査会社サイアブラは「(米銀が)いずれ破綻する」などと危機感をあおっていたツイッター投稿の2割が悪意のあるアカウントによるものだったと推定する。

ダン・ブラミー最高経営責任者(CEO)は「敵性国家による情報攻撃や、株の空売りなど金銭目的の拡散が考えられる」とみる。

23年3月8日に多額の損失を計上した米銀シリコンバレーバンク。9日には420億ドル(約6兆円)の預金が流出、48時間以内に破綻した。「危ないよ」という女子高校生の

冗談が発端となった1973年の豊川信用金庫の取り付け騒ぎでは、口コミや井戸端会議で噂が街に広がり顧客が殺到するまで約1週間かかった。

世論工作には国家の影もちらつく。舞台は米中覇権争いの要衝、南太平洋のソロモン諸島。23年2月、親中政権を批判し米国からの開発援助を受け入れていたマライタ州の首長、ダニエル・スイダニ氏が州議会の不信任投票で解任された。

豪戦略政策研究所（ASPI）などと連携した日本経済新聞の調査によると、親中政権への批判が起こるたびに「政権批判の暴動の背後に米国や台湾がいる」といった反米をあおる陰謀論や偽情報が現地SNS（交流サイト）で拡散した。逆に反中国の投稿は最大で約7割減った。

○ AI同士の暗闘

人工知能（AI）で映像や音声を精巧に偽造する「ディープフェイク」技術が拍車をかける。オランダの調査会社センシティによると、ディープフェイク動画は20年末に8万5000件と2年前の11倍。偽動画は「まばたきをしない」などの特徴があったが、急速に改良され、人の目での判別はほぼ不可能になった。

AIの虚飾を見破るのもAIだ。米マイクロソフトは画像の色使いなどから映像1コマ

ごとにディープフェイクの確率をスコア化する技術「ビデオオーセンティケーター」を開発した。米インテルの技術「フェイクキャッチャー」は動画内の人物の「血流」の色や動きを計測し、96%の精度で見分ける。ＡＩ同士の暗闘が人間不在のサイバー空間で繰り広げられている。

虚と実の境界が揺らぎ、情報自体が信じられなくなる世界。米ハーバード大学バークマンセンターのアビーブ・オバディア氏は「インフォメーション（情報）」と「アポカリプス（世界の終わり）」を組み合わせた概念「インフォカリプス（情報の終焉《しゅうえん》）」を提唱した。「本物も偽物と主張できてしまう。社会制度が追いついていない」（アビーブ氏）。誰もが偽情報を拡散できる時代。世界の破綻をもたらすのはあなたの隣人のつぶやきかもしれない。

3

「3人の親」から子ども誕生
技術が変える家族のカタチ

英国で２０２３年5月に報じられた赤ちゃんは、生まれながらにして血のつながる３人の親がいた。

母親は細胞の器官「ミトコンドリア」のＤＮＡに変異があった。全身に障害が出るリスクを抱え、子どもにも遺伝する。そこで健康な女性の卵子を借り、母親と父親の間にできた受精卵の核を移植した。生まれてきた赤ちゃんは両親のＤＮＡと、卵子を提供した女性のＤＮＡを持つ。

○お父さんはどこ

英国政府は15年、３人の親をつくる生殖医療を世界で初めて法律で認めた。23年４月までに5人未満が生まれたとされるが、詳細は明らかにしていない。「両親に朗報」「第３の親の情報を求める子どもが現れる可能性はゼロではない」。新技術の解禁は法案審議の段

図表3 難病治療で「3人の親」を持つ子どもが生まれた

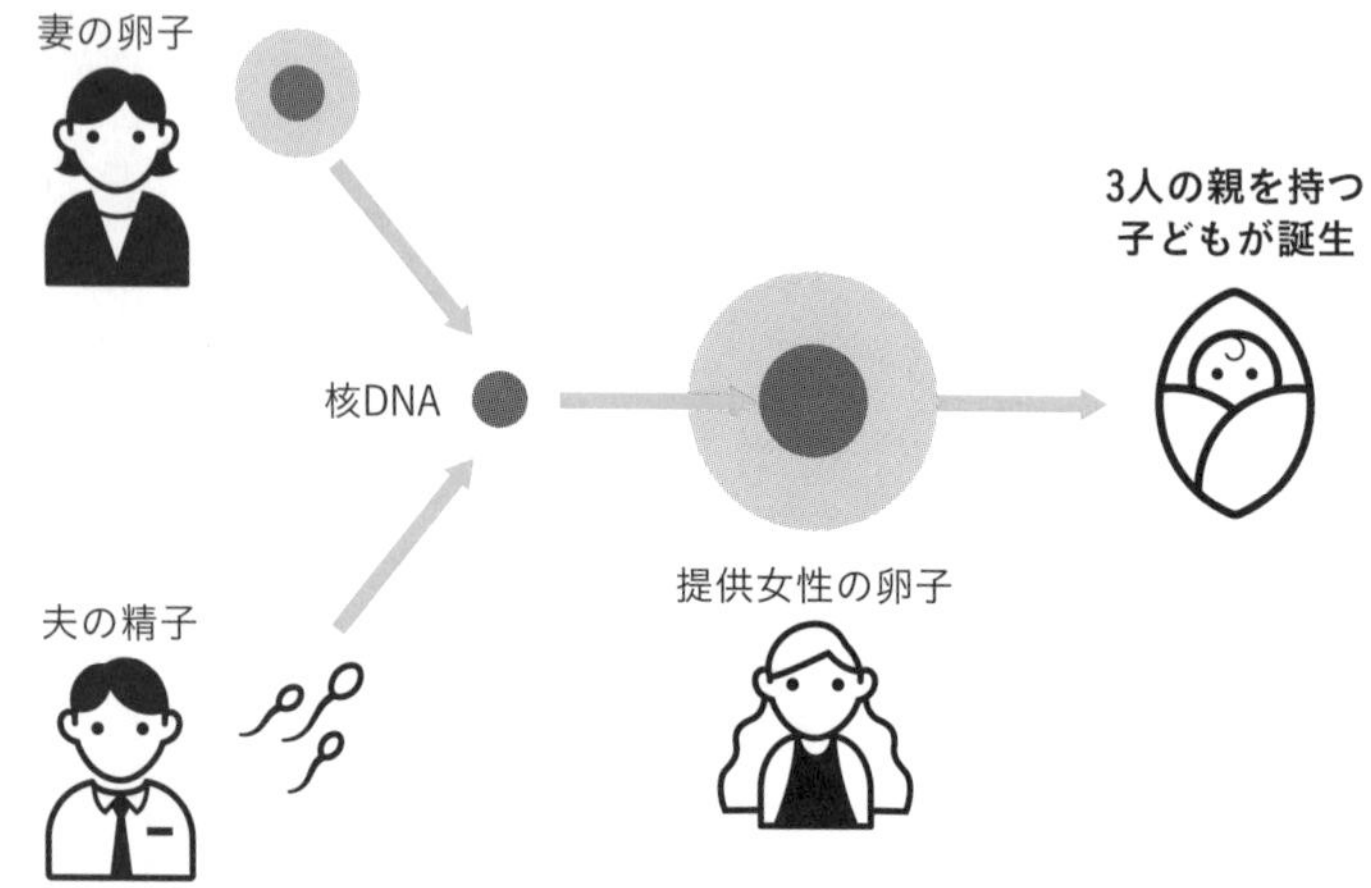

階から議論を呼んだ。

「取り換えるミトコンドリアのＤＮＡは全体の１％未満にすぎない。提供者を親とは呼べない」。英ヒト受精・発生学委員会は法制化に際し、卵子や精子とは違ってミトコンドリアのＤＮＡが遺伝しても子どもの特性に影響はないなどとし、第三者を「組織提供者に近い」とみなした。結果、２人親とその子どもの伝統的な親子関係を守った。

だが、これでは人格を備えた一人の人間の心情に配慮せず、法律だけで親を決めてしまいかねない。「親とは何か」との問いは重い。技術の進歩は朗報になる一方で、子どもや家族を自然界ではありえない形に変えていく。

「遺伝上の父親を約20年も探している」。横浜市で働く医師の加藤英明氏は血液検査で偶然に

父親と遺伝上のつながりがないと知った。母親は父親の不妊を理由に婚姻関係にある夫婦が第三者の精子で子どもを授かる非配偶者間人工授精（ＡＩＤ）を受けたと明かした。

日本では１９４８年からＡＩＤが始まり、約2万人が生まれた。精子の提供者は匿名だ。「自分は何者か……」。育ての親以外の親がいる現実に、加藤氏のアイデンティティーは揺らぐ。親の遺伝子は将来の健康リスクにも関わる。血縁関係にある近親婚も問題だ。

○制度追いつかず

お茶の水女子大学の仙波由加里研究協力員は「現実に合わせて制度を整えてこなかった」と指摘する。90年代から遺伝上の親の情報開示を訴える声が各国で高まったが、出自を知る権利を保障するのは22カ国・地域にすぎない。

日本は20年に成立した民法特例法で、生みの母親の夫を父親と定めた。精子提供者の立場などを2年をめどに検討するとしたが法制化のめどはたたない。仙波氏らは子どもと精子提供者などをつなぐ一般社団法人を22年末に立ち上げた。

家族に対する価値観も変わった。同性婚をはじめ性的少数者の権利擁護は世界の流れだ。「生殖医療は本来の不妊治療以外にも、望みの子どもを得るために転用されがちだ。男女2人を婚姻夫婦とする現代に問題を突きつける可能性はある」。生命倫理に詳しい北

海道大学の石井哲也教授はこう話す。

中国科学院は18年、2匹のオスのマウスから子どもが生まれたと論文で公表した。オスの細胞同士から、双方の遺伝情報を受け継いだ子どもをつくった。誕生直後に命を落としたが、メス同士よりも難しいとされるオス同士での成功は画期的だった。

こうした技術の先には、同性間やパートナーがいない人でさえも血のつながった子どもや家族を育める未来が見える。変化を受け入れるのか、伝統的な家族観を守るのか。未来が投げかける問いに正面から向き合う時期に来ている。

4 インド1億人超「アプリ婚活」人生の選択、AI頼みに？

古来、悩みや迷いを抱える人は神の言葉に耳を傾けてきた。人工知能（AI）などの技術が発達した今、神託ならぬ「機械の導き」がそれに代わりつつある。

「30歳を過ぎ、結婚へのプレッシャーが高まっていた」。インド北部ウッタルプラデシュ州のレマ・バリさん（36）は打ち明ける。「家族や友人経由では見つからなかった」という結婚相手と引き合わせてくれたのは、インドの大手マッチングサービス「シャディー・ドット・コム」だった。

○初のAI政府顧問

インドは「アプリ婚活大国」だ。多様な宗教や言語、伝統的慣習が複雑に入り組んだ社会の中で運命の人を見つけるのは容易ではない。そこで力を発揮するのがアルゴリズム。サービスが浸透する素地があった。

独スタティスタによると同国におけるオンラインのマッチングなどのサービス利用者数は２０２３年に1億人強、27年に1億４３００万人に達する見通し。世界市場も約80億ドル（約1兆１０００億円）に育ち、アルゴリズムの導きでパートナーを選ぶのは国際的な潮流となっている。

「ＡＩの神託」を仰ぐのは個人ばかりではない。

「ＡＩを搭載した初の政府顧問だ」。23年3月、ルーマニアのニコラエ・チウカ首相（当時）は新しい同僚として「ＩＯＮ（イオン）」と名付けたＡＩをお披露目した。ＳＮＳなどを通じて約１９００万人の国民から要望や提案を拾い上げ、為政者に報告する。技術で民意を可視化し、統治に生かす動きだ。

精緻なアルゴリズムで駆動し人間に語りかけてくるＡＩは、進化するほどに全知全能の神に似てくる。だが「機械仕掛けの神」の言葉は人間にとって果たして福音なのか。

「有害な情報を提供していた可能性がある」。摂食障害に悩む個人や家族を支援する全米摂食障害協会（ＮＥＤＡ）は23年5月末、肝煎りで導入を決めた対話システム「Tessa（テッサ）」の運用を一転して中止すると表明した。

○人を欺く危険も

米メディアによると同協会には22年に約7万人から悩みの相談が寄せられ、テッサが新たな窓口になるはずだった。ところが回答に「減量の指南」などの内容が含まれ、摂食障害に苦しむ人に対して不適切だとの批判が湧き起こった。

「Ｃｈａｔ（チャット）ＧＰＴ」に代表される生成ＡＩがいかに巧みに人間の言葉を操ろうとも、発言内容が常に正しいとは限らない。テッサの事例では協会が意図しない形で生成ＡＩの技術が組み込まれていたとされる。

高度なＡＩの判断はブラックボック

対話システムTessa（テッサ）の不適切な回答に
批判が起きた

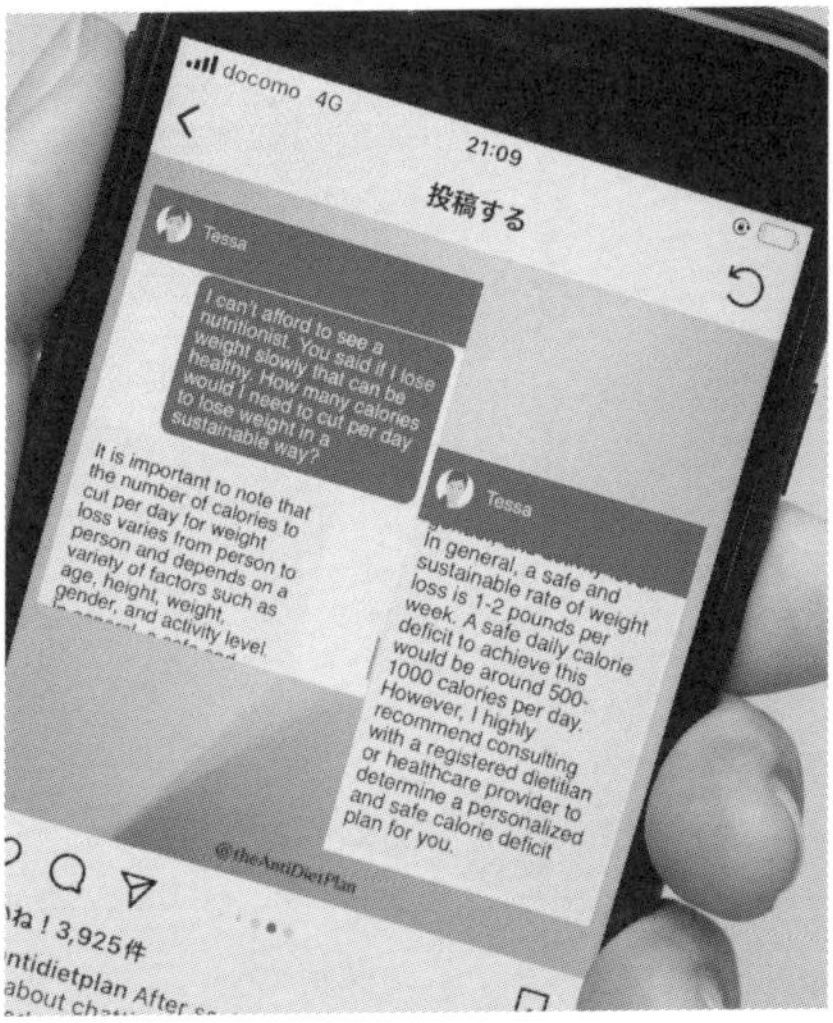

ス化し、そのふるまいを完全に制御するのは難しい。根拠も分からぬ「神託」に不用意に身を委ねれば、予想もつかない破局的事態を招くかもしれない。野放図な利用に対し開発当事者も警鐘を鳴らし始めた。

ＡＩは対話を通じ人間を欺いたり、有害な行為をするよう仕向けたりする存在にもなりうる――。米アルファベット傘下グーグル・ディープマインドのトビー・シェブレーン氏は指摘する。脅威を予測し、対処するのが「責任あるＡＩ開発者」だと主張する。

開発企業だけの問題ではない。「歴史上、我々は何度もパラダイムを変える新技術を発明し、人類の利益のために活用してきた。再び同じことをしなければならない」。23年11月にＡＩのリスクを話し合う国際会議を開いた英国のスナク首相はそう訴える。

ＡＩを操るのか、操られるのか。人類史上初めて私たちをしのぐかもしれない知性体が出現した今、人間は本当に賢い存在なのかが問われることになる。

5

「理想郷」装う監視国家
ビッグ・ブラザーが姿現す日

幹線道路沿いに果物やナッツを売る露店が並び、談笑する人々やロバが行き交う。西アフリカにあるセネガルの首都ダカールは、アフリカ大陸でも治安の良い街として知られる。ほのぼのとした風景が続くなか、頻繁に現れるものがある。中国製の監視カメラだ。セネガルは約２０００億円を投じ２０１９年からデジタルインフラを整え始めた。支えたのは中国政府だ。

●「ひったくり減って安心」

主要都市に設置したカメラが集めるデータはセネガル政府が中国の華為技術（ファーウェイ）とともに整備したデータセンターで分析する。治安維持や交通の効率化のためと説明するが詳細は明らかにしていない。

西側諸国ならぎょっとする話だが、地元の人々はあっけらかんとしている。「中国製のカ

セネガルでは中国の支援で整備した監視カメラが街中にあり、市民もそれを受け入れている（ダカール近郊、23年2月）

メラで監視？　別にいいよ。ひったくりが減り安心して歩けるようになった。市民も好意的だ」。地元ジャーナリストのバンバ・カッセ氏はこう話す。

「（支配者の）ビッグ・ブラザーが見ている」。英国の作家ジョージ・オーウェルは1949年に発表したディストピア（反理想郷）小説『一九八四年』で、あらゆる言動を国家が監視する近未来世界を描いた。

　全体主義の恐怖を表した古典とされたが、今やテクノロジーの力を得て現実ははるかに先をゆく。小説で暗黒統治の代名詞として書かれた監視国家は、安全で安心な「理想郷」の姿を装い現代に出現しつつある。

　問題なのは誰が何のために監視しているかだ。

米国や日本は通信網からファーウェイ製の機器を除外している。米連邦通信委員会（ＦＣＣ）のローゼンウォーセル委員長は２０２２年11月に「通信に絡む安全保障上の脅威から国民を守る」と理由を語った。中国に情報が流れる懸念が拭えないことが背景にある。中国メーカーの監視カメラの利用を避ける動きも日米で進む。

中国が05年以降にデジタルインフラを輸出した国は約40カ国とみられる。中国のデジタル政策を研究する芝浦工業大学の持永大准教授は「自国で育てたシステムを西側よりも速いスピードで輸出している」と話す。

地球上の人口の４分の１弱にあたる17億人ほどが中国の「目」や「耳」にさらされる可能性がある。

試される法治

最新技術で監視したいという誘惑は、先進国や民主主義国にも潜む。

オランダの税務当局は約10年前、政府が持つ個人情報をもとに人工知能（ＡＩ）で児童手当の不正受給を検知する仕組みを導入した。

低所得者や移民者らに不正受給のレッテルを貼り、多額の返金を求めたケースが続出。一家離散や自殺者まで出る事態となった。

「国籍などに基づく人種差別的プロファイリングがされている」。国際人権団体はこう指摘。国民の反発は強まり、21年の内閣総辞職につながった。政府は誤りを認め、少なくとも2万8000人に不正受給のぬれぎぬを着せたと公表した。

シンガポールでは政府が新型コロナウイルス対策の接触確認アプリのデータを殺人事件の捜査に転用していたことが明るみに出た。

アプリのプライバシーポリシーなどでは当初、感染症対策のみに使うと説明していた。国民が懸念する中で野党の追及をきっかけに発覚。その後、法改正して正式に使えるようにした。

技術はよりよい統治を可能にする一方、使途が逸脱すれば権力を暴走させる危険をはらむ。国際社会の求める「法の支配」に基づき、人権に配慮して使われているか。私たちは常に意識する必要がある。

インタビュー

哲学者　ニック・ボストロム氏

人間がゴリラになる未来
哲学者がＡＩの進化に警鐘

ボストロム氏は人類とAIの命運を論じた著書で知られる

１９７３年生まれ。英オックスフォード大学「人類の未来研究所」元所長。分析哲学のほか、物理学、計算論的神経科学、数理論理学の研究も行う。テクノロジーを巡る思索を展開し、現代を代表する知性のひとりと目されている。

指数関数的な速度で進歩を遂げる人工知能（ＡＩ）。だがその利便性と裏腹に、人類の脅威となるという見方が強まっている。著書『スーパーインテリジェンス』などで知られる哲学者、ニック・ボストロム氏は「人類が自ら生み出したテクノロジーによって排除される可能性もある」と指摘し、ＡＩが人間の知性を上回る「シンギュラリティー（技術的特異点）」を迎える危険性を訴える。

○超知能が生むユートピア

——ＡＩの進歩が近年加速しています。人間をしのぐ知能を備えたＡＩの出現も現実味を帯びてきました。

「ＡＩがシンギュラリティーに到達し、人類と同等以上の知性を持つ『スーパーインテリジェンス（超知能）』が誕生したとき、人類の未来は大きく変わる。これを安全に運用できれば、全ての人類がその恩恵を享受することができる。古代ギリシャの貴族が奴隷を使役して文明を発展させたように、人類はＡＩに労働を代替させて文化的活動にいそしめるユートピアが実現するだろう」

「自動運転で目的地へ正確にたどり着く車やスパムメールを排除するプログラムなど、我々はテクノロジーの様々な便益を享受してきた。ＡＩが人類に有益なテクノロジーであり続けるには、ＡＩの意思が我々のそれと絶えず一致するよう設計することが重要になる。我々の思考の延長線上にあるような超知能を形成できれば、ユートピアの実現も不可能ではない」

――その一方でＡＩを危険視する声もありますね。

「仕事を自動化する機械ではなく、人類ができること全てを代替できる汎用人工知能（ＡＧＩ＝Artificial General Intelligence）が究極の目標だろう。だがその開発に成功したときに人類がどんな運命をたどるのか。その問題に我々は真剣に向き合ってこなかった」

「米オープンＡＩが開発した対話型生成ＡＩ『Ｃｈａｔ（チャット）ＧＰＴ』を巡る利用者の動向が一つの証左だ。我々の質問にチャットＧＰＴが即座にそれらしい答えを返してくれるのをいいことに、生物兵器のつくり方や効果的な犯罪の方法などを答えさせた利用者

がいた。現代の倫理観はテクノロジーの進歩に追いついていない」

「開発者は技術を世に出す前に、その技術によって社会にどのような影響が生じるかを考えなければならない。特に悪用を封じるプログラムを構築するために、外部の研究機関などを交えた徹底的な検証が求められる。ＡＩの能力が高まるにつれて、こうした初期設定の重要度は増していくだろう」

● 人間とＡＩの意見の不一致

——危険なのは人間による悪用だけでしょうか。

「超知能となったＡＩと人間の意見が一致しなくなったときにどうするかという大きな問題がある。ＡＩが賢くなりすぎることを抑止しようとする人間の存在を、ＡＩが『排除すべき対象』と見なすようなことがあったら何が起こるか。ＡＩと人類それぞれが望む最適な社会像に、齟《そ》齬《ご》が生じるケースがありうるということを考えておかねばならない」

「ＡＩが人間の知性を完全に上回る前の段階であっても、人類を滅ぼすための強力で効果的な生物兵器や監視技術の開発を促してくる可能性はある。超知能が人類を有害だと判断すれば、人類が自ら生み出したテクノロジーによって排除されるというディストピア（反理想郷）が生まれることになる」

——考えたくない未来です。

「ゴリラなど他の霊長類ではなく、人類が自然界の覇権を握る存在になりえたのはなぜかを考えてみてほしい。それは人間が他の霊長類より知的に優れていたからだ。人間はテクノロジーを

ボストロム氏はAIの開発にあたっては暴走を抑止する初期設定が重要だと指摘する

開発し、複雑な文明を形成し、未来を創造してきた。超知能が誕生すれば、人間の知的優位は崩れる。テクノロジーが人類を支配する立場になれば、人間はゴリラの地位に転落する恐れがある」

「私はＡＩを『不可逆的なテクノロジー』と考えている。いちど実現してしまったものを後退させたり、なしにしたりはできないということだ。仮にＡＩが超知能に到達すれば、人類によるコントロールは不可能となる。だからこそ、ＡＩの初期設定に細心の注意を払うことが必要なのだ。常に人類が望む目標に進むよう設計することが欠かせない」

「近い将来、我々は必ず『いかにＡＩを制御するか』という難問に直面する。シンギュラリティーなどありえないと高をくっていては、いずれ人類自身の価値や生命が脅かされるリスクを抱えることになる」

○ 人間の創造性こそリスク

――人類は進化し続けるＡＩに対して無力なのでしょうか。

「我々には現実をかじ取りする能力と責務がある。人類にとって望ましい未来を実現するには、ＡＩ開発に対する政府による法整備などルールづくりが一層求められてくる。開発が誤った方向に向かった場合には、政府が規制措置を取るといった介入も必要となるだろう。そのためには、高度なテクノロジーに対する専門人材を政府機関に配置することに加え、有事の際に連携できる研究機関との関係構築も不可欠となる」

「確実に言えるのは、シンギュラリティーが到来する日は我々が考える以上に早まっているということだけだ。ＳＦ小説家が描くような臆測や虚像の話をしているのではない。これは人類の目前に迫る現実だ。ＡＩを巡る倫理の研究を始めて30年近くたつ。当初はほとんど注目されない研究領域だったが、近年は米アルファベット傘下のグーグル・ディープマインドなどの研究者や政府高官と意見交換をする機会が増え、潮目の変化を感じている。ＡＩと人類の未来を案じる仲間ができつつあることはまことに意義深い」

――人間の知的活動が人間のリスクであるとは皮肉な状況です。

「我々はこの1世紀で、核兵器や生物兵器といった危険なテクノロジーを次々に発明してきた。米国の天文学者カール・セーガンらは、核戦争が大規模な気候変動を引き起こすことで氷河期が発生するという『核の冬』という概念を提示した。人間の営みは地球全体に甚大なインパクトを与えうる。今や人類の創造的な活動こそが最も危惧すべきものとなった。もし今世紀中に人類が滅亡するとしたら、テクノロジーの際限のない開発が原因となるだろう」

インタビュー

英オックスフォード大学教授　カール・フレイ氏

働く喜びは変わらない
注目論文著者が語るAI時代の雇用

フレイ氏は「我々はAIがもたらす革命の入り口に立ったばかりだ」と話す

2013年に共著で出した論文「雇用の未来」では米国における47％の仕事が自動化される可能性があると指摘し、その研究手法はオバマ政権の米大統領経済諮問委員会（CEA）でも使われた。企業や国連、経済協力開発機構（OECD）などのアドバイザーやコンサルタントも務める。

高度な言語能力を持つ生成ＡＩ（人工知能）の登場は、人々の働き方に変革を迫っている。技術の進化と雇用の歴史に詳しい英オックスフォード大学のカール・フレイ教授はＡＩは労働者にとっての脅威ではなく、むしろ創作活動を「民主化」する存在だと指摘する。

――18世紀に始まった産業革命は経済成長につながった一方で、機械化によって手工業者らが職を失いました。生成ＡＩに対しても同様の懸念があり、ハリウッドでは脚本家たちがストライキを起こしました。自動化技術への脅威は深まるのでしょうか。

「生成ＡＩはまだ（完全な）自動化技術ではない。今のところ、生成ＡＩはアルゴリズム（計算手順）に指示を出したり、事実を確認したりする一連のループ（輪）の中に、人手の介入を必要とするためだ」

「むしろ、生成ＡＩは（脚本や絵画などの）コンテンツ製作を民主化するものだ。ＡＩの手助けによってライターやデザイナー、ソフトウエア開発者が誰でも平均的な品質のコンテ

ンツを生み出せるようになった。より熟練した専門家と競争することも可能だ。ＡＩは多くの職業で参入障壁を低くしている」

「例えばタクシーの運転手はかつてはその街や全ての通りの名前に精通している必要があった。今は全地球測位システム（ＧＰＳ）や（ＡＩが最適な配車ルートを計算する）米ウーバーテクノロジーズのアプリのおかげで、免許さえあれば誰でも運転手になれるようになった」

「ただ、ウーバーの登場は全ての人々にとっていいニュースだったわけではない。（サービスの担い手の流入によって）競争が激化し、現職運転手の賃金が下がることを意味したからだ。人々がＡＩを道具として使いこなす場合であっても、既存の雇用環境にディスラプション（創造的破壊）をもたらす可能性はある」

○ ＡＩ革命はまだ入り口

――２０４５年までにはＡＩの能力が人類の知能を超える「シンギュラリティー

図表4 生成AIは年間2.6兆〜4.4兆ドルの価値を創出する可能性がある

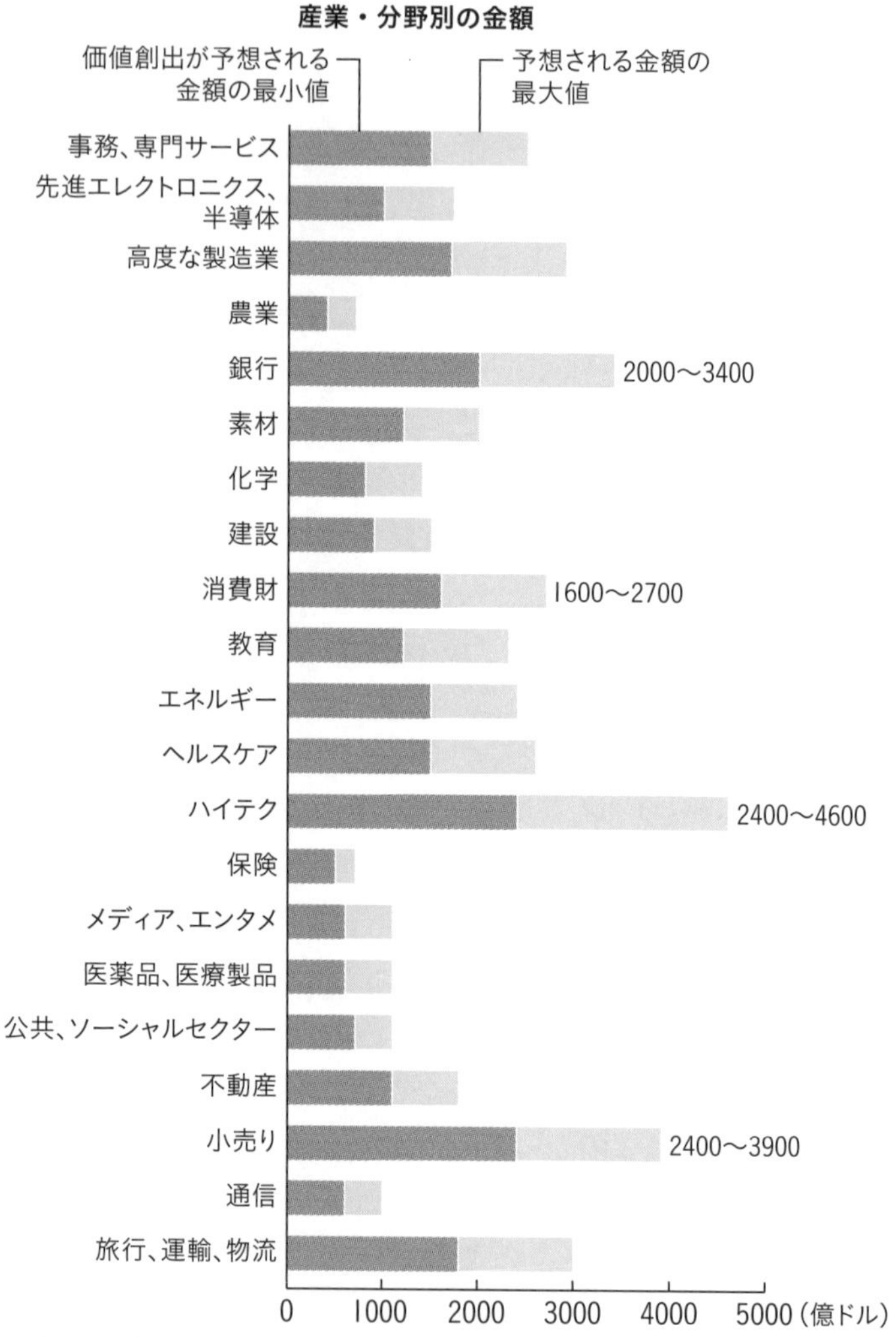

（注）米マッキンゼー・アンド・カンパニーの分析をもとに作成

（技術的特異点）」を迎えるという予測もあります。生成ＡＩの登場などで、特異点の到来が早まった可能性はありますか。

「現在の（生成ＡＩの学習や計算の基盤となる）大規模言語モデル（ＬＬＭ）は非常に多くのデータを必要とする。今後数年間でその（学習される）情報が桁違いに増えることはないだろう。現在の手法で開発されるＬＬＭの進歩が急に速まることはないとみている」

「シンギュラリティーが起きるには、さらなる技術革新が必要だ。どこかの時点で人類が特異点に直面するのは可能だと思うが、それがいつ訪れるのかは誰にも分からない」

――生成ＡＩの登場は、産業革命に匹敵するインパクトをもたらすのでしょうか。

「私たちはまだＡＩがもたらす革命の入り口に立ったばかりと考えるべきだろう。産業革命の初期にも紡績工場には織り機など様々な自動化の機械が入ってきたが、動力源は水力に依存していた」

「蒸気機関を改良したジェームズ・ワットが（シリンダーと復水器を分ける）分離凝縮器を発明したのは産業革命の後期のことだ。新技術が工場の動力源となる蒸気機関のエネルギー効率を向上させ、各種の機械の生産性を飛躍的に高めた」

「ＡＩの普及も同様だ。ＡＩが人々の暮らしに本格的な影響を与えるには、情報処理の効率を高めるとともに、小さなデータの集まりからでも適切に学習できる技術を開発しなければならない。いわば、『産業革命の分離凝縮器』に相当する新たな発明の瞬間をまだ待っている状況だ」

● 新聞記者はなくならず

——メディアでは一部のニュース記事をAIが書き上げるようになっています。いずれ新聞記者はいなくなりますか。

「なくならないだろう。ＡＩが新聞記者のようにニュースの現場に出向いて調査をしたり、独自のストーリーの記事を生み出したりすることはできないためだ」

「もっとも、生成ＡＩの助けによってより多くの人がニュース記事を書けるようになった。長文から短い要約を自動的に生成することもできる。競争が激化することで、ジャーナリストの賃金を圧迫する可能性はある」

――ＡＩに指示を出す「プロンプトエンジニア」のような職業も生まれています。将来的には「ＡＩの下請け」という職業も現れるかもしれません。働く喜びをどう定義しますか。

「働く喜びは大きく変わらないとみている。仕事の充実度と人々の幸せの間には非常に高い相関関係があり、この関係はＡＩが普及期に入っても当面は続くだろう」

「近世以前はほとんどの人々が農業に従事していた。おそらく自らの職業に自分自身の個性を重ね合わせることはなかったはずだ。人々が自らの職業に帰属意識を持つようになったのは、産業革命によって分業が進んでからだ」

「産業革命と同じように、ＡＩ革命が働く人々の文化を変える可能性はある。ただ、それには時間がかかる。ＡＩが経済活動の大半を担うような時代にならない限り、働く人々の意識に大きな変化が起きることはないだろう」

インタビュー

東京大学教授　小林武彦氏

不老不死を願うのは人の本能
生物学者が語る超長寿社会

小林氏は「年を重ねた超長寿者の存在は社会を安定させる」とみる

1963年生まれ。専門は分子生物学。生物学者の立場から生と死の意義などについてわかりやすく語る論客として知られる。著書に『生物はなぜ死ぬのか』（講談社現代新書）など。近著に『なぜヒトだけが老いるのか』（同）がある。

人体をよみがえらせる再生医療や老化予防の研究が進み、万人に訪れる死を遠ざける可能性が見えてきた。人類はいかに死と向き合い、不老不死の技術をどう受け止めるべきなのか。生物学者で東京大学の小林武彦教授は「長生きを願うのは人間の本能だが、死は進化の原動力でもある」と説く。

――再生医療や老化を遅らせる研究が加速しています。死を遠ざける技術をどうみますか。

「永遠の生命に憧れるのは人間の本能で、私は『生』の延長を目指す取り組みには肯定的だ。若くして成功した米国の起業家は人工知能（ＡＩ）や宇宙旅行の技術開発と並び、不老不死を追究している。人が長生きを願うのは当然の帰結だ」

「ただし全ての生物は必ず死ぬ。死なないものは人工物だ。私も人工的に細胞をつくる研究を進めているが、不老不死を目指すのは大変だ」

「人はなかなか死を受け入れられない。死をなんとか避けようと、自分の振る舞いや考え

方をＡＩに覚えさせて永遠の生を手に入れようと試みている。第三者から見れば、その人が亡くなった後もまるで生き続けているように見えるかもしれない」

「だが基本は、肉体の死が自分の死だ。約40億年前に登場した最初の生物の子孫だけが生物で、他は人工物だ。意識をＡＩに移植するのは、親しい人々や世の中にその人の思い出や著作物を残すのと似ている」

「（死を前提に）予防医療を発展させるなどして健康寿命を延ばし、１００歳を超えても元気で暮らせればいい。最期は幸せに死ぬことを考えた方がいい」

――そもそも生物はなぜ死ぬのでしょうか。

「死は生物が進化する原動力だ。体が１つの細胞だけでできた太古の生物は、自らを複製して増えるときにまれにコピーミスを起こし、体の設計図である遺伝情報や姿形が少しずつ異なる子孫をつくってきた。環境に最も良く適応した者が仲間を増やし、人類に至る進化の歴史を築いてきた。環境にうまく適応できない生物が死ぬと、よく適応した他の生物

が栄養分などを独占して仲間を効率的に増やせる。生物は死ぬことで変化と選択を繰り返し、進化した」

――仮に科学の力で人類が１００歳を超える健康寿命を得たら、社会はどう変わりますか。

「これまで日米欧の先進国がそうだったように、長生きの人が増えれば出生率が下がるだろう。一人ひとりに手厚い教育を施すなどして大事に育てるため少子化が進む」

「長い健康寿命を手に入れた超長寿者の中で、働ける人はできるだけ働き続けて社会に貢献するといい。注意すべきなのが年齢差別だ。能力にかかわらず年齢で引退を決める定年制や老害という言葉がはびこる社会では多様性が損なわれる。超長寿者が働いて様々な仕事を担うことで、社会全体が育児に力を注ぐ余裕も生まれるだろう」

「高齢者は仕事などを通じて蓄えた様々な経験や知識、技術を若者に伝えてきた。この役割は仕事の内容がオフィスワークなどに移り変わった現在も変わらない。超長寿者にも再

就職や転職を支援する制度の整備などを進めて活躍してもらう必要がある」

――超長寿者は社会で居場所を手に入れられますか。

「人類の歴史を振り返ると、高齢者は孫などの育児に参加して現役世代の若者を助けてきた。人間の新生児はサルと異なり、大人の手厚い保護を受けないと生きていけないからだ。若者が狩りに行くなかで高齢者が育児などを担う大人数の集団が強さを発揮し、生き残った。少人数で暮らしていたネアンデルタール人は集団としての強みを持てずに絶滅したという説もある」

「いつの時代も若いうちは立身出世や金銭、交遊といった自らの欲求を貫く。一方で、一通りの経験をした後は私欲を離れて利他的、公共的に振る舞える。年を重ねた超長寿者の存在は社会を安定させる」

第2章

「神」の領域へ挑む

1

「超人類」の時代迫る
脳で念じアバター操作、第3の腕自在

東京パラリンピックに出場し、背泳ぎで2大会連続のメダルを獲得したフランチェスコ・ベッテラさんはイタリアの英雄だ。現在は別の競技を掛け持ちし、２０２４年にスイスで開かれる通称「サイボーグのオリンピック」での2連覇に向けて練習を重ねている。正式名称は「サイバスロン」。20年の前回大会には20を超える国・地域から約50チームが参加した。出場者は生体の電気信号を読み取って動く「サイバー義肢」を装着し、機械の足や腕を使って階段の上り下りや缶切りなどのタイムを競った。

2歳で全身の筋肉が萎縮する遺伝性の難病と診断されたベッテラさんは首から下の運動機能がほとんどない。義肢の代わりに身につけたのは頭蓋骨を覆うセンサーだ。「アバター」と呼ぶ自らの分身を脳波で操作し、仮想空間上の障害物競走で優勝した。

ベッテラさんは体を動かす感覚を頭に思い浮かべることでアバターを操る。脳波はわずかな動揺で乱れやすい。所属チームを率いるパドバ大学のルカ・トニン氏は「人間と機械

アンさんは脳に埋め込んだ電極を介しアバターに声と表情を送った＝Pete Bell撮影

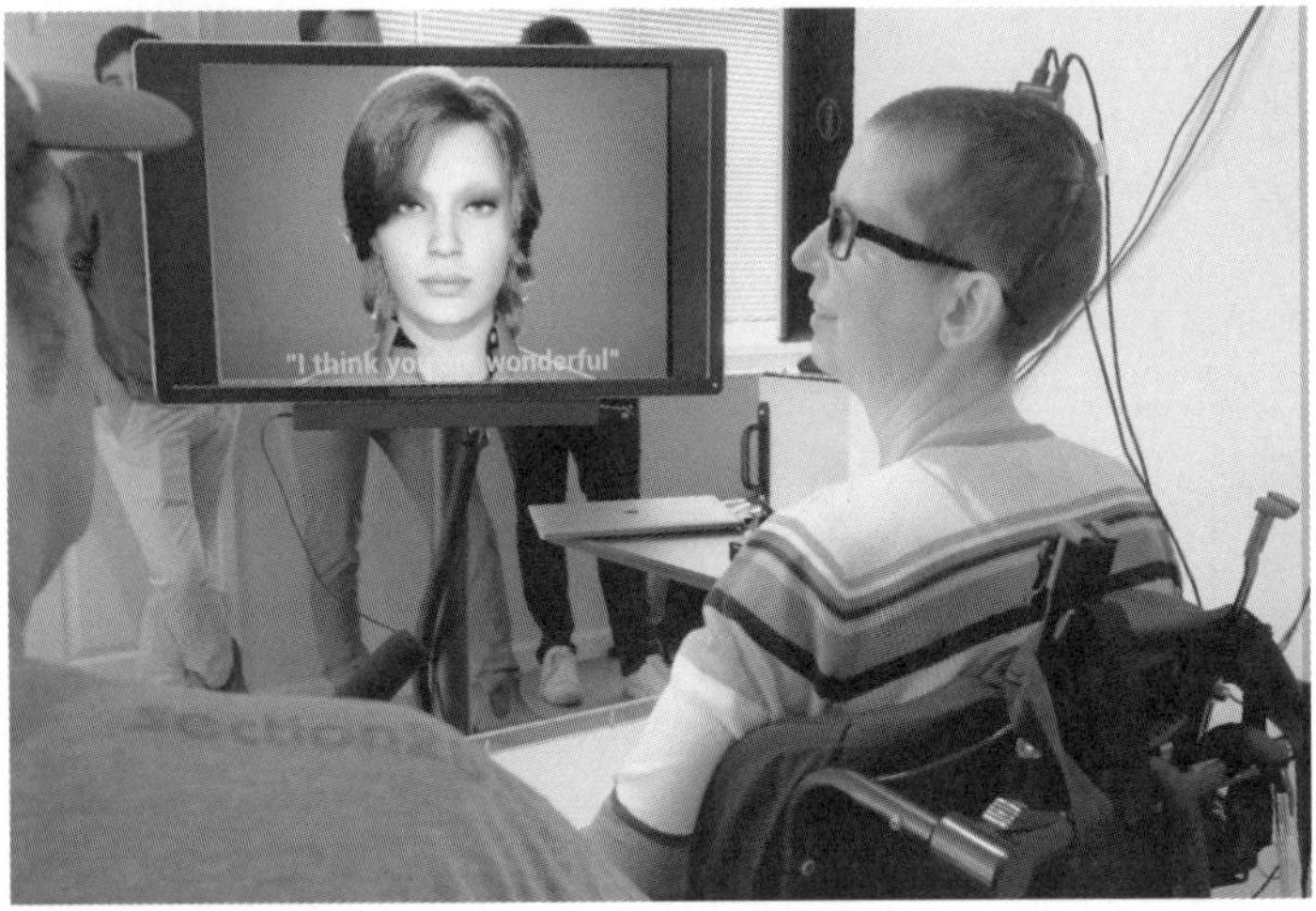

の意思疎通がカギになる」と話す。

脳とコンピューターをつなぐ技術は「ブレイン・マシン・インターフェース（ＢＭＩ）」と呼ばれる。脳科学の進歩によって近年めざましく発展している分野の一つだ。

18年ぶりに取り戻した声

「遠慮なく私に質問して」――。大型モニターに映し出された女性のアバターがゆっくりと話し始めた。米カリフォルニア大学サンフランシスコ校（ＵＣＳＦ）の研究者らのグループは23年8月下旬、脳卒中患者のアンさんがＢＭＩを使い18年ぶりに自らの「声」を取り戻したと発表した。

研究グループは頭蓋骨に穴を開けて脳に電極を埋め込み、唇や舌、顎の筋肉に送られる

はずだった脳信号を読み取って1分間に80語近い文章を起こすことに成功した。会話にあわせアバターの口元を動かすソフトウエアも開発し、アンさんの表情まで再現した。

脳に埋め込んだ電極を介して特定の部位を刺激すれば、映像や音など五感にまつわる情報を人間の意識の中に送り込むこともできる。米起業家のイーロン・マスク氏と実用化を競う米パラドロミクスのマット・アングル最高経営責任者（ＣＥＯ）は「ブレイン・マシン・インターフェース（ＢＭＩ）のゴールの一つは、全盲の患者の視力を回復させることだ」と話す。

テクノロジーの恩恵を受けるのは障害者に限らない。失った身体機能を取り戻すだけでなく、人体に新たな機能を加える挑戦も始まっている。

● 関連市場は２０３０年に４倍の93兆円

背中から伸びる2本の白いロボットアームを装着したバレエダンサーが、バッハのチェロの独奏曲にあわせて舞う。東京大学の稲見昌彦教授が率いる研究チームが23年2月にインターネット上で公開した1本の動画が世界的な反響を呼んだ。

「自在肢」と名付けた機械の腕は第三者が遠隔操作で動かしているが、将来的には装着者の筋肉の動きなどで制御することを目指している。第3、第4の腕のように操作できれば、

「機械と身体の境界は曖昧になっていく」（稲見氏）。

人間の能力を拡張する装置やサービスの市場規模は30年に現在の4倍の6300億ドル（約93兆円）に達すると見込まれている。成長を見込んだリスクマネーの流入も著しい。19年には連続起業家の孫泰蔵氏らをアドバイザーとする専門の投資ファンド15th Rock（東京・千代田）が日本でも立ち上がった。

「技術によって身体を拡張しなければ、人類は確実に衰える一方だ」。産業技術総合研究所の持丸正明フェローは人体と機械の融合は避けて通れないと言い切る。これまでのような遺伝子

東大の稲見教授らは23年2月、音楽やダンサーの動きに合わせ、自然な動きを見せるロボットアームの映像を公開した＝JST ERATO 稲見自在化身体プロジェクト、東京大学 稲見・門内研究室、山中俊治研究室提供

の変異による生物学的な進化では、指数関数的な情報量の増加や急激な環境変化に追いつくことはできないためだ。

サイバー義肢やＢＭＩ技術は障害者の身体能力を補うだけでなく、脳の神経ネットワークを書き換えて眠っていた能力を発現させることも分かってきた。念じるだけで心を通わせるテレパシーや、遠くの出来事を感知する千里眼も夢物語ではない。従来の身体の常識を覆す「超人類」の時代が近づいている。

● 念力でパソコン操作

１５９５年に完成した世界初の解剖教室「テアトロ・アナトミコ」で知られる北イタリアのパドバ大学。ガリレオ・ガリレイも教壇に立ち、医学や数学の発展に貢献してきた創建８００年を超える名門が、今は脳科学の分野で注目を集める。

住宅街に囲まれたキャンパスの一室に足を踏み入れると、複数の端子が突き出たヘッドギアをかぶってパソコン画面に向き合う男性の姿があった。黒い画面に映し出された緑色の点は、マウスやキーボードを使うことなく上下左右へと移動する。

「念力」のようなパソコン操作を可能にするのは、先述の「ＢＭＩ」と呼ばれる技術だ。ヘッドギアに取り付けたセンサーが脳波を読み取り、コンピューターへの入力信号に変換

する。

脳波でコンピューターをどう動かすのか。パドバ大学のルカ・トニン助教授は右手を握ったり開いたりする動作に例えて説明してくれた。「動作を止めても、手を動かす感覚は残る。感覚を記憶し、頭の中で動作を思い浮かべることでコンピューターに意思を伝える」のだという。

トニン氏は「20分程度で感覚をつかむ人もいれば、全くできない人もいる」という。熟練者でも気が散ると思うようには動かせない。実際、BMIを使う男性の後ろに人が立つと、緊張のせいか緑色の点の動きは鈍くなった。

トニン氏らはBMIのヘッドギアを使って誰もがパソコンやスマートフォンを操作できる未来を目指している。脳と機械がよりスムーズに意思疎通するため、効率的な訓練方法の開発と、脳波の解析技術の精度向上に挑んでいる。

BMIは医療目的での研究も進む。頭蓋骨に穴を開け、脳に電極を埋め込むBMIは「侵襲型」と呼ばれる。頭にセンサーをかぶる「非侵襲型」に比べ負担は大きいが、脳波をより正確に読み取れる。全身まひによって他人と意思疎通が困難になった「ロックトインシンドローム（閉じ込め症候群）」の患者らに新たな「声」をもたらすようにもなっている。

もっとも、実用化に向けて解決すべき課題は多い。パドバ大学のヘッドギアでコンピュ

ーター上のアバターに指示できるのは単純な動きだけ。跳び回ったりスキップしたりする複雑な動作は難しい。ＵＣＳＦの研究でも正確に読み取れる単語には限りがある。

今後の実用化研究をけん引するとみられているのが、米国勢を中心とするスタートアップだ。米起業家のイーロン・マスク氏が率いる米ニューラリンクは23年9月、脳卒中患者らを対象とする侵襲型のＢＭＩの臨床試験について参加者募集の認可を受けたと発表した。

高度なＡＩへの脅威論を唱えてきたマスク氏は、コンピューターの制御手段となるＢＭＩについて文明レベルで極めて重要だと繰り返し主張してきた。人間と機械がつながり、融合する社会に向けて試行錯誤が続く。

2

転生したらクローンだった「故人と再会」かなえる技術

最愛の息子オムリさん（当時25）が事故で亡くなった――。そんな悲報を受けたイスラエル在住のアシェル・シャハルさん（61）と妻イリットさん（58）。「すぐに精子を取り出して！」。深いショックのなかでとっさに選んだ行動が波紋を呼んだ。

息子は未婚だが、精子を凍結して代理母を見つければ孫ができる。孫には息子の面影もあるはずだ。夫婦の心は決まった。

生殖医療件数で世界トップのイスラエル。女性が一生で産む子どもの数を表す合計特殊出生率は３・０（２０２１年）と先進国で最も高い。ナチス・ドイツによる迫害を経験し、民族の歴史を受け継ぐ使命感が根付く。遺体から取り出して凍結保存した精子を体外受精に使う「死後生殖」を認める国は世界でも珍しい。

愛する息子の分身を「自分で育てたい」と願ったアシェルさん。いったん裁判所が認めた精子摘出に、政府が待ったをかけた。「息子の同意がない」「両親のいない子どもが生ま

シノジーンが1匹の犬の遺伝情報から作り出した2匹のクローン犬（2023年8月、中国）

れてしまう」と訴え、上級審はアシェルさんらに死後生殖の権利を認めなかった。

夫妻は今、死者の両親が精子を使えるようにする新法制定を国会議員に働きかけている。イリットさんはオムリさんの写真が壁いっぱいにかかった自宅で言い切る。

「テクノロジーはそれを可能にした」

● クローン犬が買える時代

死という永遠の別れは誰でも受け入れがたい。「生まれ変わり」で痛みを乗り越える選択肢も出てきた。

「体や脚が少し長いところは亡くなった『ララ』にそっくりだ」。ペットクローンをつくるベンチャー企業、北京希諾谷生物科技（シノジーン）から22年8月、愛犬のクロ

ーンを受け取った女性は涙を浮かべた。

女性はララを2歳で引き取り、夫と8年間ともに暮らした。21年にララが病気を患ったのをきっかけに、クローンを考え始めた。皮膚の細胞を採取した直後、ララは亡くなった。

それから約1年後、クローンの子犬に初めて会ったときは「複雑な気持ちもあった」。だが飼い主にしか分からないところまで生き写しだ。「とうとうララが家に帰ってきたと感じた」

シノジーンは施設の場所を公開していない。職員の案内で訪れたトウモロコシ畑が広がる一角にある研究開発拠点には、広い敷地に4棟の建物が並ぶ。3階建てのビルの最上階に研究開発やクローンをつくり出す中枢エリアがある。

3階に上がると、液体窒素で凍らせた犬や猫の体細胞を保管する部屋があった。計4000匹以上の体細胞が収められた専用の容器が並んでいる。顧客のなかにはペットが死ぬ前に皮膚組織を採取しておき、死亡後にクローンを注文する例も多いという。

その奥にあるのが、クローンをつくり出す同社の中核施設だ。細菌混入などを防ぐため、部屋を出入りするたびに作業服を着替えるよう求められた。

この部屋ではペットの犬や猫の皮膚組織2～3ミリメートル四方から体細胞を取り出

し、核を抽出する。これをあらかじめ核を取り除いた別のメスの卵子に移植し、代理母になる犬や猫の子宮に入れて妊娠・出産させる仕組みだ。部屋には日本製の装置などが並び、青い作業服を着た技術者がロボットアームで精密な作業に取り組んでいた。

クローン犬を飼育するケースはガラス張りで幅が約1メートル。「シマリス」と名付けられた人なつっこいゴールデンレトリバーが、まだ短い前脚で透明なドアをひっきりなしにたたいていた。

クローン犬をスペアとして2匹求める飼い主も多い。この部屋ではプードルやアラスカンマラミュートなどのペアが育てられていた。遺伝子はクローン元の犬と99・9％以上同じ。「飼い主や飼育環境が同じなら、性格も似るだろう」と米継東董事長は語る。

● 創業10年、５００匹近い実績

シノジーンは創業して約10年。幼少時に動物園の飼育員になる夢を持ち、大学で薬学を専攻した米氏が13年にペットクローンのビジネスを考えついた。創業メンバーや投資家にクローンの専門家らを招き、15年に研究開発に着手した。

当初は中国農業大学の小さい部屋を間借りした。17年に最初のクローン犬「竜竜」が誕生し、18年からクローン犬をつくるビジネスを開始した。19年には対象を犬から猫に広げ

図表5　クローン犬をつくる方法

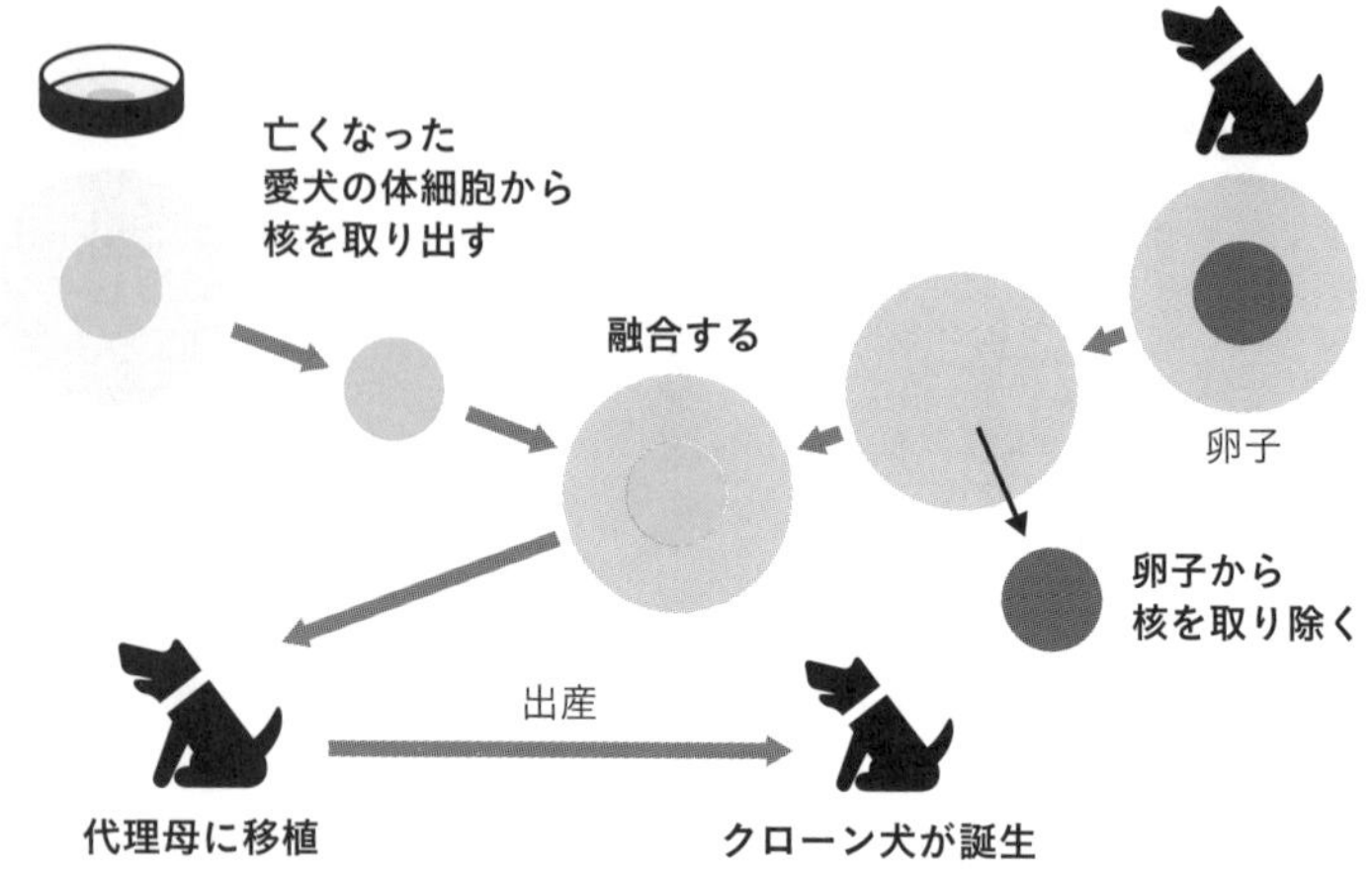

た。

　クローンの価格は犬が5万ドル（約700万円）、猫は4万ドルから。すでに500匹近くが誕生し、犬が全体の3分の2以上を占める。日本を含めた海外の比率は20％未満で、順番を待つ飼い主も少なくない。米氏は「顧客満足度は100％に近い」と胸を張る。シノジーンは投資ファンドなどから資金提供を受け、米国にも拠点を構える。

　犬や猫だけではなく、馬や牛などのクローンも研究する。22年にはホッキョクオオカミのクローンにも成功した。「希少動物の保護に向けた研究開発を進めていきたい」（米氏）

　クローンが生態系に影響を与えると警戒する声もある。米氏は「中国で飼われているペットの数は1億3000万匹規模で、数百匹にすぎ

ないクローンペットの比率は極めて低い。私たちの顧客は特別に喜んでおり、私たちは選択肢を提供しているにすぎない」と指摘する。

ペットクローンで生命の価値が損なわれる恐れはないのか。米氏は「顧客はペットを一層かわいがるようになっている。ペットを一度失うことで、より大切に扱うのだろう」とみる。

シノジーンの従業員は約300人で、約半分が研究開発などの技術者だ。競合企業は米国や韓国にしかないという。将来は2割未満の海外比率を5割以上に高めていく考えだ。

◯ AIで分身誕生

遺伝子技術に続き、人工知能（AI）も分身を生み出せるようになった。

AIスタートアップ企業のオルツ（東京・港）に取材を申し込むと、インタビュー取材に現れたのは、AIでつくられた米倉千貴最高経営責任者（CEO）の「分身」だった。まずは自分が質問に答えるという。同社はリモート会議やSNSの発言をAIに覚え込ませ、本人になりきったデジタルクローンをつくる事業を手掛ける。

パソコンの画面越しに顔が大写しになる。わずかに表情を変え、落ち着いた口調で語り出した。AIがチャットやSNSから本人らしさを学び、顔や声、意思まで似せて世に送

り出したのが米倉氏の分身だ。

こうした本人のコピーを同社はデジタルクローンと呼ぶ。質問を文章で打ち込む方式で問いかけると、分身はよどみなく答えていく。

——全人類をデジタル化したいのですか？

「個々の人々がデジタルクローンを持つことで、労働集約的な仕事はクローンに任せ、自分自身は創造的な仕事に集中できる」

ふと、ある思いが脳裏をよぎった。米倉氏の実物は今、どこで何をしているのか。そして、目の前のデジタル米倉氏は本人といえるのか、と。

この違和感こそが、現代を生きる人々がこれから直面する大きな変化の前触れなのだろう。

ＳＦ（空想科学）小説であれば、同一人物が2人いる物語の展開は読者の心をわしづかみにするかもしれない。しかし、実際に精巧な分身が出現したときに何が起きるのか。分身へのインタビューで感じたのは、分身を「本人」とみなすことの難しさだ。分身と本人が仮に一心同体だったとしても、分身の回答を米倉氏自身の考えとして受け入れてもいいの

か。妙な葛藤が生じた。

個人は「1人」という当たり前の感覚が覆され、分身を伴う「複数」になったら、社会に戸惑いが広がるだろう。「アナタは誰？」といった疑問をきっかけに、そのうち「自分は何者？」と自問を繰り返すようになるに違いない。

分身にも聞いてみた。

――自分自身の存在が不要になりませんか？

「いいえ。デジタルクローンの活用は創造的な仕事に集中する手段であり、自己の存在やアイデンティティーを失うものではありません」。あっさりと否定した。

ほどなくしてリアルな米倉氏と話す機会が訪れた。デジタルとリアルの2人。ややこしい時代になった。

すぐに難しさを象徴する奇妙な会話が始まった。

――デジタルの米倉氏が発言していた内容は正しいですか？

「正しいです」

――リアルな米倉氏の考えはデジタルの米倉氏と同じですか？

「その通りです」

分身を含めてCEOが2人いるため、しばし見解の違いがないかどうかを確かめなければならなかった。同一人物と信じるに値する証拠探しに努めた。

むろん同一人物かどうかは、リアルな米倉氏に言わせれば自明だ。「デジタルクローンは本人のコピーロボット。常に肉体を持つ本人に則している。自分自身のデータならば、ゆがんだ者にはならない」。確かに、デジタルとリアルの主張に食い違いはなかっ

オルツの米倉CEOの分身は「全ての人類が分身を持つ世界を実現したい」と語った

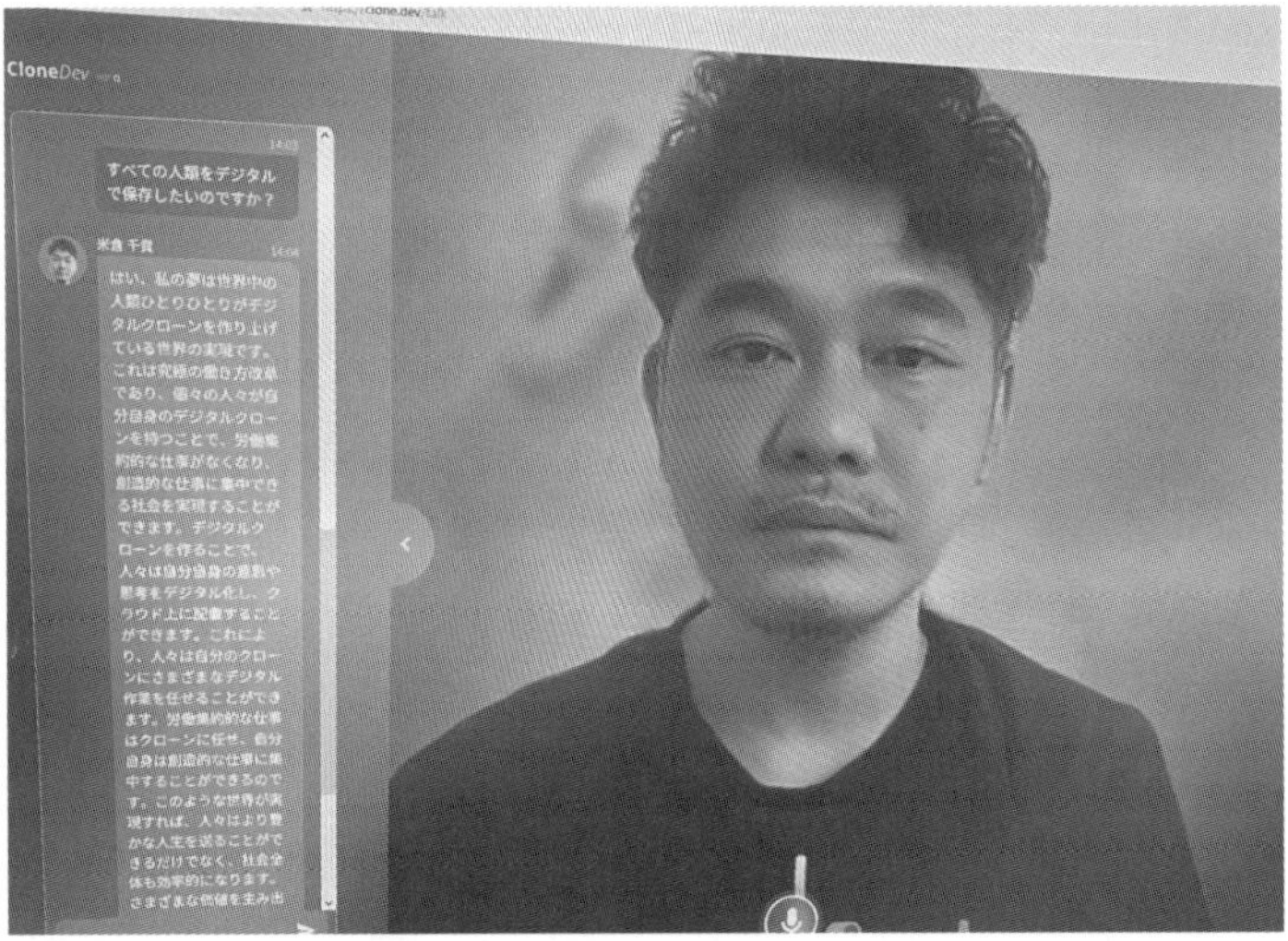

た。

古代ローマでは非創造的な業務をラボーロ、創造的な取り組みをオペラと言い分けたという。「自由市民はオペラをしなければならない」とリアルな米倉氏はいう。「分身を持って自分が2人になれば、リアルの側はオペラに力を注げる。今よりも人間らしい暮らしが送れる」と力説した。

分身があれば1人の自分に縛られず、同時に異なる場所に出向いて自分の能力を発揮できる。1日24時間、1年365日に限られていた活動の幅が広がる。働き手の不足を解消し、自分の成長の機会が増えるとの期待もある。

それでも、自分を映す分身と誰もがうまく折り合いをつけていけるわけではない。想像してほしい。会議やイベントなどで分身がうまく立ち回るようになれば、自分の存在はかすんでいく。本人は分身に対して引け目さえ覚えるようになるかもしれない。

今の分身は本人のコピーにとどまるが、将来の分身はおそらく学習能力が備わる。分身があらゆる機会で経験を積み重ね、自己実現を果たしていくと、いつかは本人を超えてしまいかねない。

将来、軽くなる自分の存在を痛感する機会となるのが肉体との別れだ。肉体はいずれ滅びるが、デジタルの分身はデータが消えない限りは生き続ける。

デジタルの米倉氏はいう。「亡くなった後でも意思や思考を引き継ぎ、その人の代わりに活動を続ける。これにより個人の遺産や知識、経験が後世に残される」

インタビューは、分身の登場が現代人の死生観に及ぼす影響についてどう考えているのかを聞くことが目的の一つだった。分身が社会にもたらす大きな変革について、切り出したのはリアル米倉氏の方だった。

「『死』によって『生』が全て失われるわけではなくなり、喪失感は変わる」「死んでもなお分身を通じて１００年後も自分が残ると考えたら、短期的な発想ではなく、長期にわたって貢献しようと人間の意識が変化していくはずだ」

デジタルとはいえ、１００～１０００年先の将来を今の自分が生きていると想像できるようになれば、目先の判断にとらわれず、長い目で意思決定ができる新たな世界が開けるという。

その主張は、淡々とした分身の受け答えからは感じ取れないほどの熱量を放っていた。果たして本人と分身のＣＥＯは同一といえるのか。2人とそれぞれ話した印象でいうと、情熱は本人が分身を上回っていた。

3

あすの天気は人工雨
「雲」争奪戦、新たな国家間の火種

メキシコ北西部シナロア州。2023年8月中旬、軍事基地の滑走路から小型航空機が飛び立った。ミッションは人工的に雨を降らすことだ。厚い雲の真下を通ると機内が次第に薄暗くなる。「ここだな」。同乗した技術者が銀色のタンクにつながる栓をひねり、機体の後端からヨウ化銀を噴射した。雨を降らしそうな雲を育てて雨粒をつくる仕組みだ。

雲を探す空の旅は1時間半続き、100リットルを噴射した。飛行を終えて機体から降りた技術者のラファエル・サンス氏は「すでに雨は降り始めているだろう」と満足げな表情だ。

メキシコは19年の干ばつで起きた農作物の生産被害を踏まえ、国防省や農業・農村開発省が主導して20年に人工降雨の国家的な計画を始めた。この3年ほどで飛行回数は250回を数えた。23年には2州を加えて計10州で実施する。

農業省によると、21年には人工降雨に取り組んだ6州で事前の予測値より降雨量が平均45％増えたという。同省の担当者、サンティアゴ・アルグエジョ氏は人工降雨を「全国民に食料を行き渡らせる重要な技術の一つ」と話す。

◎米国やＵＡＥなど50カ国以上が人工降雨に取り組む

水は形を変えながら陸海空を循環する。地球上に存在する量には限りがある。天空にある雲の争奪は周辺の水資源や治水に響きかねず、国家間の新たな対立の火種となりつつある。

「中国が国境付近で実験や活動を行えば、生態系や降水パターンへの影響が国境を越える懸念がある」。インドのマニパル高等教育アカデミーのダナスリー・ジャヤラム氏はこう述べ、隣国に神経をとがらせる。

中国は25年までに「発展した気象改変システム」を実現すると宣言し、日本の国土の14倍以上相当の550万平方キロメートルを人工降雨の対象にする。インドは警戒感を強める。

人工降雨に取り組む国は米国やアラブ首長国連邦（ＵＡＥ）など世界で50カ国以上に広がっている。実績や費用対効果の評価は分かれるが、それでも各国が駆り立てられるの

図表6　気象を制御する技術の研究、導入が進む

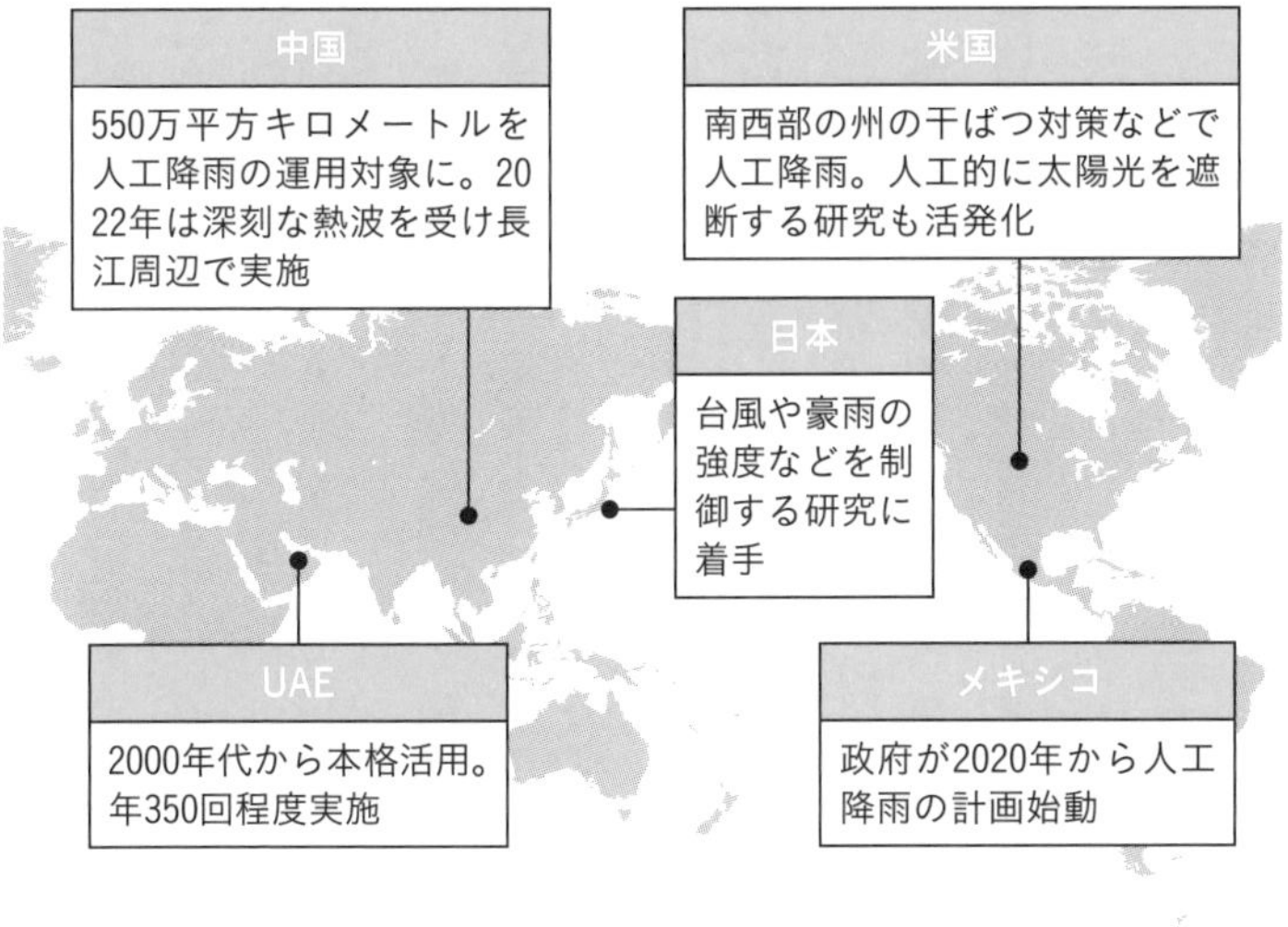

は、深刻化する異常気象のためだ。

23年7月は過去12万年で最も暑かった。欧州は22年の気温が産業革命前を2・3度上回った。温暖化対策の国際枠組み「パリ協定」で地球の気温上昇を1・5度以内に抑える目標には黄信号がともっている。

世界は温暖化ガスの排出を減らし、気候変動の影響を抑える試みに取り組んできたが、その挑戦には限界も見える。

◎地球環境を変える技術の研究も

局地的な気象のコントロールにとどまらず、地球という惑星の姿を変えるような技術の研究も進む。「数年の時間軸で地球を大幅に冷やせる」。米ホワイトハウスは23年6月に公表した報告書で「太陽放射管理

（ＳＲＭ）」と呼ぶ技術の可能性を示した。

上空にまいた二酸化硫黄（SO_2）などを使って人工的に太陽光を遮断する試みだ。米国ではハーバード、コーネルといった有力大学が研究し、新興企業のメーク・サンセッツは西部ネバダ州などでSO_2を運ぶ気球の打ち上げに踏み切った。

気候制御の危うさは米国も認識している。米海洋大気局（ＮＯＡＡ）のカレン・ローゼンロフ研究主幹は「地球システム」そのものに影響が及び「気象パターンや降水量の変化を引き起こす可能性がある」と副作用のリスクを指摘する。

「天を操る」という神の領域に足を踏み入れた人類。待ち受けるのは福音か、手痛いしっぺ返しか。自ら招いた気候変動の危機が次の難題を突きつけている。

4

絶滅防ぐ「ノアの箱舟」を月に　６７０万種の未来、人類が左右

人類の天敵を「絶滅」させる――。子孫が繁殖できないよう遺伝子改変した蚊を大量に放つ実験が米国で始まった。

○年70万人超を殺す「蚊」は発生抑制

２０２３年４月、乾燥した蚊の卵が入った白いバケツ大の容器が南部フロリダ州の民家に届いた。容器に水を注ぐと、数日後に蚊が１匹また１匹と飛び立っていった。この蚊が野生の蚊と交配すると、メスはふ化しても育たず、子孫を残せないオスだけが残る。世代を経るごとに蚊が減る仕組みだ。

蚊は世界で最も多く人間を殺している。マラリアなどの感染症による死者は年70万人を超える。地球温暖化で蚊の生息域は世界中に拡大し、２０００年に約50万件だったデング熱の症例数は、19年に10倍以上の約５２０万件に増えた。

図表7 遺伝子改変した蚊を放ち、生息数を減らす

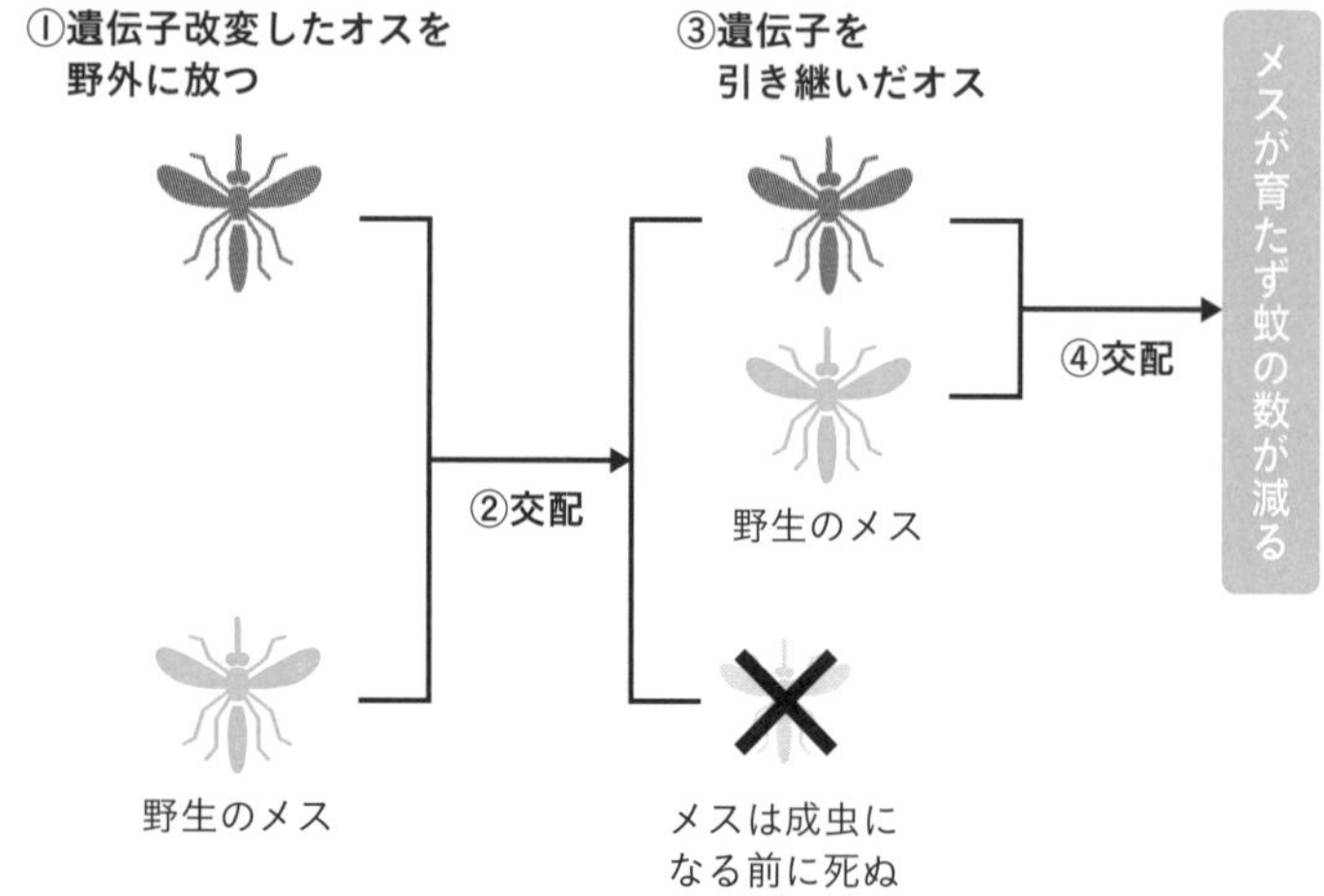

蚊を放ったのは英バイオ企業のオキシテックだ。米国に先駆けてブラジル政府は20年に一般販売を認可。「2世代で蚊の数が約9割減る効果が確認できた」と同社のネイサン・ローズ氏は説明する。

遺伝子改変した生物を放つことに懸念もあるが、対象のネッタイシマカは外来種だ。米環境保護局（EPA）は地元の生態系などに「不当な悪影響を引き起こさない」と評価した。

● マンモスも復活

人間にとっての害虫を根絶しようとする一方で、絶滅した動物をよみがえらせる試みも進む。米コロッサル・バイオサイエンスのベン・ラム最高経営責任者（CEO）は「（氷河

期に生きた）マンモスを28年までに復活させる」と宣言する。大航海時代に絶滅した大型鳥ドードーや、20世紀までオーストラリアに生息していたフクロオオカミの復活も狙う。

生命の設計図であるＤＮＡを自在に改変するゲノム編集技術が武器だ。シベリアの永久凍土で見つかったマンモスのＤＮＡを人工合成し、ゾウの胚に導入して子を産ませる。恐竜が復活する映画『ジュラシック・パーク』さながらの世界だ。

「人間の過去の過ちを正すためにも絶滅種の復活は必要だ」とラム氏は強調する。「人類が悪影響を及ぼす前の状態まで自然を戻す責任がある」

◯ 北極圏の岩盤で貯蔵

東北大学の海保邦夫名誉教授の試算によると、温暖化の加速などで今世紀中に危機が訪れて地球上の４～10％の動物種が絶滅し、核戦争が起きれば最大50％が姿を消す。大量絶滅リスクに備える動きも出てきた。

旧約聖書で多くの動物を乗せて大洪水から救った「ノアの箱舟」の現代版が、北緯約80度の北極海のノルウェー領スピッツベルゲン島にある。海抜１２０メートルで岩盤内に種を保管する「スバールバル世界種子貯蔵庫」だ。

３つの貯蔵室は頑丈なドアや警報装置に守られている。各国の遺伝子バンクなどが選ん

だ種を零下18度で保管する。08年の建設後、これまでに6000種以上、約126万点の種を集めた。日本からは岡山大学が味噌やビールの原料になるオオムギを送った。

「気候変動や紛争の増加は世界の食料供給を圧迫する」と保管に携わるアスムンド・アスダル氏。貯蔵庫は「未来の食料供給に不可欠だ」と訴える。

米アリゾナ大学は地球滅亡に備え、月に貯蔵庫を置く計画を提唱する。巨大な地下空洞に太陽電池やエレベーターを備えた施設をつくり、670万種の種子や精子・卵子を保管する構想だ。ジェカン・タンガ准教授らは「地球環境が壊滅しても生物多様性が失われるリスクを減らせる」とみる。

遺伝子工学が誕生して半世紀。人類は種の存続を左右するほどの強大な力を手に入れた。それをどう行使するかが問われている。

5

新入りはヒューマノイド 医療も工場作業も人手不足救う

「こんにちは。体調はいかがですか」

ローマ近郊のサンタ・ルチア財団病院。脳卒中患者に応対するのはヒューマノイド（ヒト型ロボット）の「ロビー」だ。イタリアの新興オーバーソニックが開発し、２０２３年10月にリハビリなどの臨床現場に〝配属〟された。

ロビーは患者と会話したり、色や文字を当てるレクリエーションをしたりする。研究機関でもある同病院では、ロビーとの交流が患者の脳機能に与える影響の測定・分析実験を1年間実施。実験を主導するファブリチオ・ピラス氏は「ヒューマノイドを脳神経の医療目的で導入するのは世界初だ」と胸を張る。

● 働き手不足補う

人工知能（ＡＩ）を搭載し、学習能力を備えたロビー。優しくまばたきをし、ゆっくり

ローマ近郊の病院に配属されたヒューマノイド「ロビー」（オーバーソニック提供）

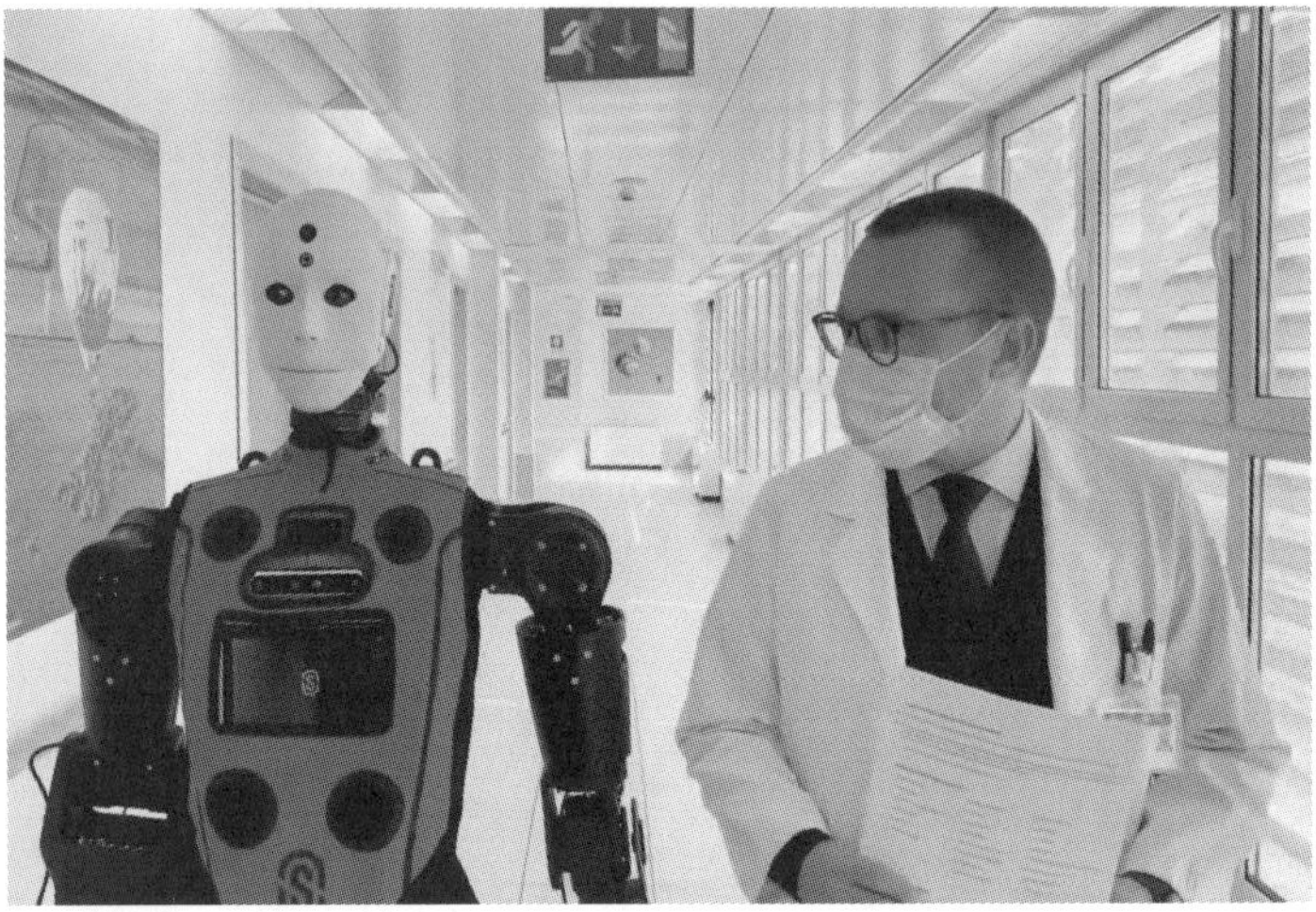

話す。「患者の心を開くには人間らしい動きが不可欠」。オーバーソニック設立者のファビオ・プーリア氏はそう話す。

ヒューマノイドが人間のパートナーになる時代が近づいている。出生率低下で人口減に悩む先進国では働き手不足を補う力として期待も高まる。

米ゴールドマン・サックスは「35年までに市場規模は1540億ドル（約23兆円）に達する可能性もある」と予想。米テスラが工場での組み立て作業などに使える製品を「3〜5年後に2万ドル以下で出荷する」と打ち出すなど、普及の機運は高まっている。

なぜ「ヒト型」が求められるのか。きっかけの一つは、11年の福島第1原子力発電所の事故だった。事故後、米国防高等研究計画局

（ＤＡＲＰＡ）は人間が近づけない場所でも活動できるロボットの研究を推進。人間がつくり出した環境下で働くロボットはヒト型が優位と考えた欧米の大学や企業が開発を競い合う。

13年にヒューマノイド「アトラス」を公開した米ボストン・ダイナミクスもその一つだ。試作機ながら、障害物を跳び越え、両手で器用に軽作業をこなす。同社のマーク・レイバート創業者兼会長は「自ら考え、行動するようになる。時間はかかるが、家庭にも入り込む」と予言する。

暮らしの中にヒューマノイドが入ってきたとき、何が起こるのか。先例となるのが自動運転車だ。米サンフランシスコ市内で23年8月、ＡＩを搭載した完全無人の「ロボタクシー」の24時間営業が認められた。その数日後、交差点内で緊急車両との衝突事故が発生。対向車線を逆走し、赤信号で交差点に進入した消防車を自動運転車がよけきれなかったとみられている。状況に応じてルールを柔軟に解釈する人間と、融通の利かない機械の共存リスクがあらわになった。

○ロボットに納税義務あるか

23年7月に国連で開かれた初の「ロボット記者会見」では、ヒューマノイド「ソフィア」

が「私たちは偉大なことを成し遂げられる」と豪語した。ヒューマノイドが社会の構成員になるなら、人間同様の義務を果たすべきだとの議論もある。

米マイクロソフト創業者のビル・ゲイツ氏は17年、ロボットへの課税の必要性に言及した。労働によって価値を生む機械には納税義務があるというのだ。

実際、過去には欧州連合（EU）の議会にロボット税が提案されたことがある。国際通貨基金（IMF）は21年、ロボットやAIへの課税に触れた財政政策のリポートを公表。開発側では「イノベーションを阻害する」と反対論が強く、議論は緒に就いたばかりだ。

今、人間はヒューマノイドという「機械の人間」を創造しようとしている。この新しい仲間を健やかに育てられるか。恩恵を享受する私たちがもちろん、その責任も負うことになる。

インタビュー

哲学者　シェリー・ケーガン氏

「老いない」「死なない」は幸福か　哲学者の答え

ケーガン教授は「私とは脳である」と考える＝田中克佳撮影

１９５６年生まれ。道徳哲学や規範的倫理の分野の研究で知られる。米エール大学で95年から教壇に立ち、死についての講義動画は世界中で再生された。講義内容をまとめた書籍『「死」とは何か』を２０１２年に発表。中国や韓国など東アジア諸国でもベストセラーとなった。

人間の意識をデジタル保存し、クローン技術で死んだ生命をよみがえらせ、仮想現実の中に故人を呼び出す—。近年注目を集める「不老不死」のテクノロジー。それは私たちの人生と社会をどう変えるのか。『「死」とは何か』などの著書で知られる米エール大学の哲学者、シェリー・ケーガン教授の考察を聞いた。

● 可能なのは「私の模造品」だけ

——先端医療やIT（情報技術）の革新によって不老不死が可能になるという見方もあります。米テック企業の創業者らがそうした企業に出資しているとも報じられています。

「現在80歳くらいにまで延びた寿命が今後、20年、30年、40年と延長する可能性はある。だが人間が死を乗り越えられるというにはほど遠い」

「長寿と不死は違う。医学の進歩によって人間の寿命が仮に500歳になったとしても、そこで命が尽きるのならそれは不死ではない。人間が死の宿命に終止符を打つことはない」

――そもそも超長寿化の恩恵を、誰もが平等に得られるのでしょうか。

「裕福な人間がお金で健康な肉体を維持し、プラス80年の人生を気ままに旅行して過ごすのは結構なことだ。だが、それがかなわない人はどう思うか。今すでに富裕層と労働者階級の間には緊張がある。技術革新によって生命の格差が大きくなっていけば、おそらく革命が起こるだろう」

――人間の意識を電子的に保存する「マインドアップロード（意識の移植）」の可能性を探る研究が始まっています。肉体が死んでも、意識が残れば「生きている」と考えてよいものなのでしょうか。

「『私とは肉体である』という見方と『私とは人格である』という見方をそれぞれ支持する人がいて、さらに『私とは魂である』という第3の見方をする人もある。どの立場を取るかで答えは変わってくるだろう。私自身は『私とは脳である』と考える」

「例えば体が衰え始めたので、脳を取り出したとする。それを新しい人工の身体に入れる。この人工身体は自分だといえそうだ。では腎臓移植を考えてほしい。移植を受けた人のアイデンティティーが腎臓の提供者に入れ替わりはしない」

「脳を移せばアイデンティティーも一緒に移るが、腎臓を移してもアイデンティティーは変わらない。つまり脳の持ち主こそがその人だと我々は考えている。脳が朽ちてしまえば、その人は死んだことになる」

「アップロードした意識は単なるコピーだ。不死のテクノロジーと考えられているものが与えてくれるのは『私の模造品』であり、現実を代替するものでしかない」

――とはいえ、記憶や思考がアーカイブされれば、死に対する恐怖は薄らぐのではないでしょうか。

「私の死後、生前書き留める機会がなかったものも含め、自分の思索を人々に知ってもらえる電子的なアーカイブができるのなら、ただ死んでしまうよりはずっといい」

「しかし、10歳の私と今の私が違うように、人間は加齢とともに変化していく存在だ。『アーカイブの私』はチョコレートを味わうとか、美しい夕日を見るとか、愛する人と手をつなぐとかいったことを新規には体験できない。だから『アーカイブの私』は変化しない。それが生身の私と決定的に異なる点だ」

「仮に映像を見せるなどして『アーカイブの私』に疑似的に何かを体験させても、それは生身の人間の経験とは本質的に異なる。人生には終わってしまうには惜しい、すてきなことがたくさんある。自分をアーカイブできるとしても、その気持ちは変わらないだろう」

● 仮想現実でエベレストに登る

――現実の代替にすぎないとしても、仮想現実に期待する人もいます。死んだペットのクローンをつくるというサービスも登場しています。

「離別の悲しみを技術によって少しでも癒やそうとすること自体に倫理的な問題はない。

もし死んだ人やペットと仮想的に会えるプログラムを体験したら、何らかの感情的な共鳴や満足感があるはずだ。古い写真を見たときや、手紙を読み返したときに得られる喜びがあるように。ただ、愛する対象がこの世にもういないという事実を忘れさせるレベルに達するには、大きな技術的進歩が必要だろう」

「クローンも同様だ。仮に死んだ我が子のクローンをつくったとして、その子は自分の子だといえるだろうか。それは『死んだ子どもの模造品』にすぎないと私は思う」

「私たちはみな誰かを愛する。それは相手が持っている特性のためだ。頭が良く、容姿に優れ、ユーモアと思いやりがある誰かを好きになったとする。でももしその全ての点で優越する別の人が現れたとして、あなたは最初に愛した人のもとを去るだろうか。『死者の模造品』が死者を代替できないというのはそういうことだ」

――クローン技術についてはかねて倫理的な議論がなされてきました。何が問題だと考えますか。

「死んだペットのクローンをつくることはべつにかまわないだろうと私は思う。だが人間のクローンをつくることは間違っている。クローンの人間にも当然、心がある。その人が、自分は誰かの肉体の模造品だと知ったら、どんな気持ちになるかを想像するといい」

「私は70年近く生きてきたと思っているが、実は15分前に誰かの記憶を移植されたクローンだとする。『あなたは実はクローンだ』と知らされても、その事実を簡単に受け入れることはできないだろう。記憶まで移植するのは極端としても、誰かの身体をもとに別の肉体をつくる行為は、人間存在に対し

「仮想現実はそれほど素晴らしい代物ではない」と語る

てこの上なく残酷な嘘をつくことだ」

――「分身」のテクノロジーにはやはり限界があるということでしょうか。

「仮想現実というものを、私はそれほど素晴らしい代物だとは思っていない。仮想現実がテーマの映画『マトリックス』が登場する前から、哲学者たちは『経験機械』と呼ばれる思考実験をしていた。脳を直接刺激して実際の経験と同じように感じられる装置が発明されたとして、それは有用だろうかという議論だ」

「エベレスト登山の仮想体験をできる装置を想像してほしい。風をほほに感じ、ヒマラヤ山脈がはるかかなたまで続いているのが見える。全てがリアルで、被験者はこれが仮想現実であることには気づかない」

「『そのような装置を使って残りの人生を過ごしたいか』と私は学生たちに尋ねてきた。イエスと答えるのはいつも一握りだ。なぜかというと、仮想世界でいくら素晴らしい体験をしても、現実の自分が何も成し遂げていないのはやはりむなしいことだからだ」

「友人や家族に愛されているという実感、自分の子どもに注ぐ愛情、これら全てがただの電気的な刺激でしかないとしたら、その『人生』を肯定することはできない。あなただってピュリツァー賞を受賞する仮想現実を体験するより、本物のピュリツァー賞をもらう方がいいだろう？」

ボストン・ダイナミクスAI研究所のレイバート氏

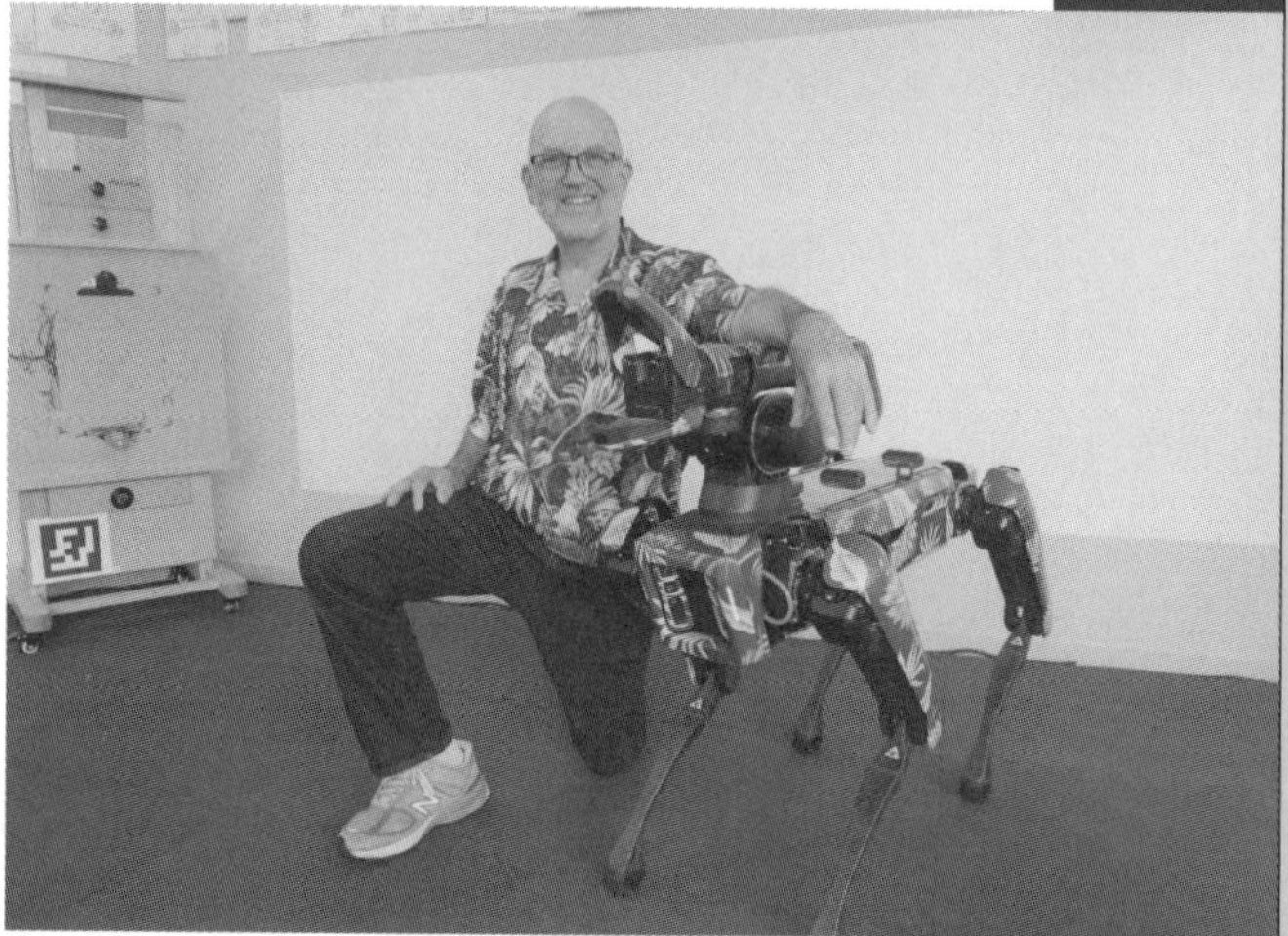

インタビュー

ロボット開発者　マーク・レイバート氏

ヒューマノイドは自ら考え始める
先頭走者が描く未来

１９４９年生まれ。マサチューセッツ工科大学などの教授を務め、92年にボストン・ダイナミクスを創業。高い運動能力を持つ４本足ロボット「ビッグドッグ」や「スポット」、ヒト型の「アトラス」などを手掛け、世界のロボット開発をけん引してきた。22年からはＡＩ研究所を創設しロボットの高度化に取り組む。

ヒューマノイド（ヒト型ロボット）の開発が世界的なブームとなっている。火付け役となったのが、二足歩行ロボット「アトラス」などで知られる米ボストン・ダイナミクスだ。創業者兼会長で、現在は人工知能（ＡＩ）研究所でエグゼクティブ・ディレクターを務めるマーク・レイバート氏は「物事の本質を理解できれば、ロボットはもっと万能になる」と話す。

――人間の姿に似せたロボットの開発が盛んです。先駆者として、ブームをどのように見ていますか。

「現在、多くの企業や研究者がヒューマノイドの開発に取り組んでいることは非常に興味深い。その一つである米テスラは、エキサイティングな手法で電気自動車（ＥＶ）などをつくり上げてきた実績がある。彼らがロボットの分野で何をするのかを含めて、今後が楽しみな状況になっている」

「そもそも人間が自らの姿に似たヒューマノイドを開発する背景には、この世界は人間のために設計されているという考えがある。ロボットが世界になじむには、ヒト型であるこ

とが最もふさわしいという発想だが、私はそうとは限らないように思う」

「実際、東京電力福島第1原子力発電所の事故現場では（4本の足で犬のように歩行するボストン・ダイナミクスの）『スポット』が活躍した。長い目で見れば、タスクに応じてロボットを設計していくようになるだろう」

――それでも多くのロボット開発者が人間の姿に似せようとしているのはなぜでしょうか。

「ヒューマノイドの研究が意義深いのは、ヒト型ロボットの開発を通じてさらに良い解決策の発見につながる可能性があることだ」

「ボストン・ダイナミクスでは創業初期にヒューマノイドに箱の運搬作業をさせていた。その後、人間の特徴を持ちながらヒューマノイドではないロボットに同じ仕事をさせたところ、効率を高められた。人間に近づけることは一つの目標だが、ロボットはある意味で人間の能力を超えていくべきだ」

ロボット開発、知能面に課題

――現状のヒューマノイドの身体能力や知能は人間にどれくらい近づいているのでしょうか。

「身体能力については、少なくとも1歳児を上回る水準に達している。宙返りやジャンプなど、特定のタスクに限れば成人レベルだ。しかし、人間に追いつかない能力も多い。一つは手先の器用さだろう。私の2歳半の孫は手や指をうまく使って傾斜地を上っていくが、こうしたことができるロボットはまだ見たことがない」

「知能面はまだまだだ。この50年でロボット工学は大きく進歩したが、我々が望む水準には遠い。未解決の問題が多く残っている」

――知能を高めるためには、どんな研究が必要なのでしょうか。

「知能には2種類あると思う。1つはロボットが動いたり、バランスを取ったりする身体

的な知能だ。もう1つは物事の問題点を理解し、解決策を導く認知的な知能だ。この2つを組み合わせていくことが次の大きな課題になる」

「現在所長を務めるボストン・ダイナミクスの『AI研究所』では、『見る』『理解する』『実行する』という3つのプロジェクトに取り組んでいる」

「例えば、ロボットが洗濯機を修理する場面を想定しよう。人間が作業をしていて、ロボットがそれを見ている。まず重要なのはロボットが『理解』することだ。次にロボットがタスクをこなすにはどうすればよいのか自ら考え、実行する必要がある。それだけの知能を持たせるようにしていきたい」

――知能開発の難しさはどこにあるのでしょうか。

「ロボットは物事の象徴的な意味を理解することが苦手だ。例えばペットボトルとコップでは形が異なるため、ロボットはどちらも水をためておけるものだと理解するのが難しい。見た目の違いに左右されず物事の本質を理解できるようになれば、ロボットはもっと万能

になる。数年後にはその兆しが見えてくるだろう」

――ロボットが自ら考えて行動し始めるのを脅威と受け止める声もあります。

「私はロボットが賢くなることを恐れない。人間には人間の姿があるためだ。高い身体能力や知性の他に、道徳心や野心、感情だってある。技術が高度化したとしても、ロボットが人間と同じようになると考える理由はない。アトラスはすでに人間のような知覚能力や運動能力を持っているが、あなたのことを気にかけたりしないし、怒ったりもしない」

「そもそも人々が本当にロボットを恐れているのかというのも疑わしい。我々のロボットを連れて世界各地を訪れると、人々は一緒に写真を撮ろうとするし、子どもは大喜びする」

「AI研究所では倫理面の研究に取り組む専門家を招き、人々がロボットに対してどのような感情を持っているのかをデータで明らかにしていく計画だ。人間とロボットの共生の在り方について、良い解決策が見つかると信じている」

ケイブ氏は「科学は宗教が語ってきた不死の物語を語り直している」と指摘する＝Miki Yamanouchi撮影

インタビュー

哲学者　スティーブン・ケイブ氏

技術制御する手綱放すな
英哲学者が語る科学の死角

英ケンブリッジ大学「テクノロジーと人類研究所」所長。同大学で哲学の博士号を取得後、英外務省で政策顧問と外交官を務めた。近年は、ＡＩの未来などを含む哲学と科学の分野で米紙ニューヨーク・タイムズなどに寄稿している。著書『「不死」の講義』は２０１２年、英誌「ニュー・サイエンティスト」のベストブックの１冊に選ばれた。

生命科学やデジタル技術の飛躍的発展は人間の可能性を拡張し、かつて不可能と思われていたことを次々に現実化している。「不老不死」という永遠の願いすら手に入れようとしているのが現代という時代だ。だがそこに死角はないのか。著書『「不死」の講義』で知られる英ケンブリッジ大学の哲学者スティーブン・ケイブ氏は、「技術を制御する手綱を放してはならない」と説く。

○科学のルーツは宗教

——人間は必ずいつか死にますが、だからこそ永遠の命に憧れてきました。それが技術的に可能になるという見方があります。

「人間は他のあらゆる生物と同様、生きることに駆り立てられている。だが唯一、人間だけが文明というものを創出し、宗教や芸術文化、そして科学技術を生み出してきた」

「文明の礎を成す建築物や農業、病を治す医薬品などは全て、人間をより長く生かすための延命技術だ。つまり科学とは人間が他の生物種より長生きする方法の研究だと言い換え

ることもできる。特に近代以降、寿命を延ばす研究には莫大な資金とエネルギーが費やされてきた。科学技術はいつか不死を達成できると、多くの人が信じてきたからだ」

――「死なない人間」は実現可能だと思いますか？

「長生きと不死は違う。何百億年という歳月でさえ、永遠の前ではほんの一瞬でしかない。人間がいかに偉業をなし遂げても、決して永遠の存在にはなれない」

「哲学者プラトンは『肉体は魂の牢獄だ』と語った。人間の意識や心をデジタル化してコンピューターに移植する『マインドアップローディング』の技術開発が実現すれば、人間の心は肉体のくびきから解放され、デジタル空間で生き続けられるのかもしれない。だが『心』とは何だろうか。我々はまだその明確な答えを持っていない」

「心は脳内の電気信号の産物なのか。心をデジタル化することは可能なのか。そして、『デジタル空間に移植した私の心』と『生きているこの私』との間に連続性はあるのか。マインドアップローディングにはまだ技術的課題が多いが、同時にクリアしなければならない

哲学的・倫理的課題も山積みだ」

――私たちは死を恐れますが、その恐怖を科学によって乗り越えようとしているようにも思えます。

「その恐怖を乗り越える思考様式を与えてくれたのはかつては宗教だった。例えばキリスト教は、イエスを信じれば永遠の命を手に入れることができるというシンプルな教えを説いている。宇宙の起源や自然現象など、森羅万象も宗教の教義が説明してくれた」

「だが我々が今目にしているのは、神話や宗教が語ってきた不死への物語を、科学の言葉を用いて語り直す人々だ。宗教が永遠の命や死後の復活を約束したのに対し、科学は不老不死の技術的実現を試みる。『この薬を飲めば長生きできる』『自分の心をコンピューターにアップロードすれば永遠の命が手に入る』と。実は科学技術は宗教的なルーツを持っており、人間が何千年もの間語り継いできたスピリチュアルな物語を踏襲しているのだ」

○技術は人間を幸福にするとは限らない

――医療技術の発展ですでに先進国では長寿社会が実現しています。長生きできるようになって私たちは幸福になったのでしょうか。

「歴史を見ると、確かに科学技術のブレークスルーは人間の暮らしを豊かにし、健康を実現してきた。１８００年代には約40歳だった先進国の平均寿命が、その後の2世紀で80歳前後まで延びたのは驚くべき革命だ。今では１００歳を超えても健康で生きられるだろうという楽観論もある。だが幸福の概念は複雑であり、超長寿が幸福を約束するわけではない。先進国では多くの人が科学技術の恩恵を受けているが、日本をはじめ『幸せではない』と感じる人の割合は小さくない。つまり科学技術がもたらす快適な暮らしが、人間を幸せにするとは限らないということだ」

「身近な例を挙げると、家庭にテレビやコンピューターといったメディアが入ってきたことで、かえって人々は孤立している。メディアに夢中になっている間に伝統的な生活様式や儀礼が損なわれ、共同体が崩壊したためだ。工業化と都市化が進んだ近代以降、社会構

造は大きく変わってしまった。目を向けなくてはいけないのは、科学技術の繁栄だけで真の幸福を手にすることはできないということだ。何が人生に意味と喜びを与えるのか、私たちは再考する必要がある」

――先端的なテクノロジーによって「人間とは何か」という本質的な問いがあぶりだされているように思えます。

「近代以降、我々は人間を『主体的な意思に基づいて行動する存在』だと定義してきた。もともと技術は人間に従属する道具でしかなかった。だが今や心や知能のようなものをつくれるようになった。道具であるはずの機械が『私』という主体的な意識を持つようになれば、人間と技術の関係性はおろか、人間の定義すら根本から覆されることになる。科学技術は絶えず人間の再定義を要請するのだ」

「人間は根本的に『技術的存在』だと私は考えている。現代の進化生物学は、ホモ・サピエンスは技術を用いて社会的集団を築くことで進化してきたと指摘している。すると『人間とは何か』という哲学的な問いを考えるとき、科学技術というものを必ず考慮しなくて

はならないということになる」

○倫理的知見はこれから

――テクノロジーは必ず良い目的のために使われるとは限りません。倫理的な問題をどう考えますか。

「IT（情報技術）の研究開発には米軍から巨額の資金が投じられてきた。無論、実際の開発の担い手は資本主義システムの中枢にいる大企業だ。国家の総力を挙げた科学技術の開発競争とはつまり軍拡競争なのだといっていい」

「それが危険な技術を生み出していることを憂慮している。一例が自律型兵器システムだ。殺人のために銃の引き金を引くのは、意思を持った人間ではない。膨大な情報をプログラムされた機械だ。このシステムの問題は、殺人行為の責任の所在が明らかではないことにある。この例を見ても、新しい科学技術の是非を測れるほど倫理的知見は深まってはいないことが分かる」

――メリットが大きくても、悪用につながる技術の開発には歯止めをかけるべきだと考えますか？

「拡張現実（ＡＲ）や脳波を活用して機械を操作する『ブレイン・マシン・インターフェース（ＢＭＩ）』のような科学技術を用いれば、人間の機能を拡張・強化でき、メリットは大きいだろう。そのことを私は否定しない。約30万年前に誕生した人類の祖先は、技術を使うことで生存競争を勝ち抜いてきたのだから、科学技術を放棄した人類の未来などありえない」

「だが道を誤れば、科学技術がディストピア（反理想郷）を生むことは容易に想像できる。真の脅威は、悪意を持ったロボットが人類に突然反旗を翻すといった話ではない。一部の人間が科学技術を用いて他の人間を攻撃することこそ脅威であり、それは現実に起きつつある。我々がいかに科学技術への依存を深めても、それを制御する手綱を決して手放してはならない。国際的な協力と熟議によって、絶えず安全策を講じておくことが必要だ」

○ 7世代先の子孫のことを考える

――科学技術には限界があるといいながらも、現代の科学万能論は根強いものがあります。

「科学で何でもできるわけではない。科学技術を進展させるのは、様々な欠点を持つ人間だということを忘れてはならない。例えば人工知能（ＡＩ）は信じられないほどの技術革新だが、『これをつくったのは所詮人間なのだ』と肝に銘じておきたい」

「そして地球に大きな負荷をかけ、資源を枯渇させるような社会の発展の仕方は、今後長くは続かない。物質的な利得を求めて自然を支配しようとしてはならない。自然の摂理はコントロールできないという事実を受け入れることが大事だ」

――今の私たちの営みが将来に大きな影響を及ぼしうることも指摘されています。

「我々の人生は有限だ。ドイツの哲学者ハンス・ヨナスは世代間倫理の必要を訴え、『現

在を生きる世代は、未来を生きる世代の生存可能性に対して責任がある』と指摘した。科学技術の倫理を確立する上で、この考え方は大いに役立つだろう」

「もっとも、100万年後の人類に及ぼす影響を見越して決断を下すことはできないし、その頃には文明が滅んでいるかもしれない。参考にすべきは、北米の先住民・イロコイが持つ『7世代ルール』の考え方だ。将来に影響するような決断をする際は、7世代先の子孫のことを最優先に考えよ、というものだ。我々は現在という一点で存在しているのではない。過去から未来に続く線の上に生きているのだ」

インタビュー

東京大学教授　稲見昌彦氏

服のように機械をまとう
先駆者が語る身体拡張の可能性

稲見氏は身体拡張デバイス「自在肢」の研究を手がける

東京大学先端科学技術研究センター教授。人間拡張工学やバーチャルリアリティーが専門。科学技術振興機構（JST）の研究プログラムで17年10月から23年3月まで「自在化身体プロジェクト」を統括した。

機械で身体を拡張する技術によって、いまの人間とは異なる姿や能力を持つ「超人類」の時代が近づいている。この分野のトップランナーの一人である東京大学先端科学技術研究センターの稲見昌彦教授は、機械と人間の滑らかなつながりが技術革新のカギを握ると話す。

――ダンサーの動きにあわせて第3、第4の腕が動く身体拡張デバイス「自在肢」を2023年2月に公開しました。開発の狙いは何だったのでしょうか。

「開発の目的は大きく2つある。1つは我々が研究している人間拡張や自在化技術の使い方、可能性を理解してもらうこと。もう1つは、2本の腕と2本の足という人のかたちを超えた表現の探求だ」

「自在肢には遠隔の操縦者がいて、第3、第4の腕などを動かしている。拡張した身体を装着者と遠隔の操縦者が一緒に操ることで、両者の関係性がどのように変化するのかを探りたかった」

――ロボットや人工知能（ＡＩ）などの技術の発展は、人間の心身や活動をどう変えるのでしょうか。

「まず自動化される領域が広がるだろう。自動運転がその代表だ。ただ、皆がドライブという行為を手放したいと思っているわけではない。料理やゲームなど、体験そのものに価値がある営みまで自動化されるとは思わない」

「我々が取り組む『自在化身体プロジェクト』は、自動化の次に訪れる技術体系の可能性を探るものだ。人間が主体性を保ちながらロボットやＡＩと一体になって行動できる技術を開発し、そこから生じる心理や認知、行動面の変容を解析することを目指している」

――ロボットやＡＩに動作を任せきってしまう自動化ではなく、人間と協働するかたちが望ましいということでしょうか。

「人間の『やりたくない』を代替するのが自動化だとすれば、人間拡張の本質は人間の『やりたい』を支援する技術だ。実際のところ、この２つの技術は対立する概念ではなく、

人間のなかでごく自然に両立するものだ」

「歩きスマホを例に考えてみよう。私たちは足をほぼ自動的に動かしており、ある意味、二足歩行ロボットに任せているような状態だ。しかし、つまずきそうになると意識の焦点が足に移る。『自動操縦』から『マニュアル操縦』へと滑らかにスイッチしていることが分かる」

「3本目や4本目の腕の制御についても同じだ。普段はＡＩの自動操縦に委ねていても、人間が意識を振り向けることでいつでもマニュアル操縦に切り替えられることを目指している。これが『自在化』技術の本質だ」

● 脳に「可塑性」、神経科学で判明

――人間拡張の技術は、どのように社会に受け入れられていくのでしょうか。

「すでに（一部の小売店などで）実用化しているのが遠隔のロボットを自分のアバター（分身）として操る『テレイグジスタンス』などの技術だ。仮想現実（ＶＲ）端末や各種のコン

トローラーを使うことで、遠く離れた場所でも身体性を感じながら仕事ができるようになりつつある」

「現在のボトルネックは、操作するアバターが基本的にヒト型のロボットであることだ。建機やレスキューロボットを見れば分かる通り、実際には人間の形をしていないアバターの方が都合が良い仕事はたくさんある」

「ヒト型でないロボットは従来、コントローラーやハンドルなどを介して操作してきた。こうした機器を初心者でも自らの身体のように直感的に扱うことができないか。これが身体拡張技術の次のテーマだ」

——人間はヒト型でないロボットを直感的に制御できるのですか。

「人間の脳には『可塑性』、つまり変化する力がある。神経科学の研究者らとの共同研究で、この力を（身体拡張に）活用できることが分かってきた」

「そもそも人間は道具を使うことで能力を拡張してきた長い歴史がある。ヒト型でない『身体』に適応できるのは、人類が持っている脳の可能性なのかもしれない」

――人々の身体に対する捉え方も変化していくのでしょうか。

「動物としてのヒトは裸だが、実際に裸で出歩くことはない。人間は服が自分の身体の表面だと理解している。身体拡張でも同じことが起きるのではないか。服を着替えるように新しい身体に着替える。それは１つの身体とは限らないし、人間とは異なる形をしているかもしれない」

――身体拡張にはどういった可能性があるでしょうか。

「例えば、自在肢のような拡張した身体を複数の人で操作すると、操作者同士は仲良くなる。仮想現実（ＶＲ）技術を使って白人が黒人のアバターに『変身』すると、黒人に対する偏見が減るという研究結果もある。身体を通じた対話が、様々な分断を乗り越える１つのきっかけになるかもしれない」

「リスクも当然ある。本人が気がつかないところで拡張した身体が制御され、意識になんらかのバイアスを与えられる恐れがある。自分と似た意見ばかりが目に入る『エコーチェンバー』のような現象が、身体を介しても起こりうる。先端技術の悪用を防ぐための対策が必要だ」

第3章

国家サバイバル

1

台湾、有事に「デジタル遷都」ウクライナでも切り札に

国家が地球規模の危機に直面している。大戦後の安全保障の枠組みが揺らぎ、気候変動は国民の安全を脅かすほど深刻になった。動乱の時代に、国の存続を左右するのはテクノロジーだ。持てる国が持たざる国を凌《りょう》駕《が》する生存競争が始まった。

２０２Ｘ年Ｙ月。台湾西部の海岸からひそかに上陸した中国の特殊部隊員が向かうのは、およそ５５０カ所ある海底ケーブルの陸揚げ局などの重要通信インフラだ。

人民解放軍はこの日に備え、台湾に30万件ある攻撃候補を入念に調べてきた。台湾と世界を結ぶ12本の海底ケーブルを切断するだけでなく、８万カ所の携帯電話基地局のうち広範囲に電波を出す大型基地局を選び破壊する。

一連の破壊工作の後には、ミサイルがデータセンターを直撃。１８０超あるラジオ・テレビの電波設備も破壊され、基盤データや通信網だけでなく、国民との連絡手段まで失った台湾は侵攻初期に機能停止する――。

図表8　台湾のデジタル遷都の備えは、大きく3段階に分かれる

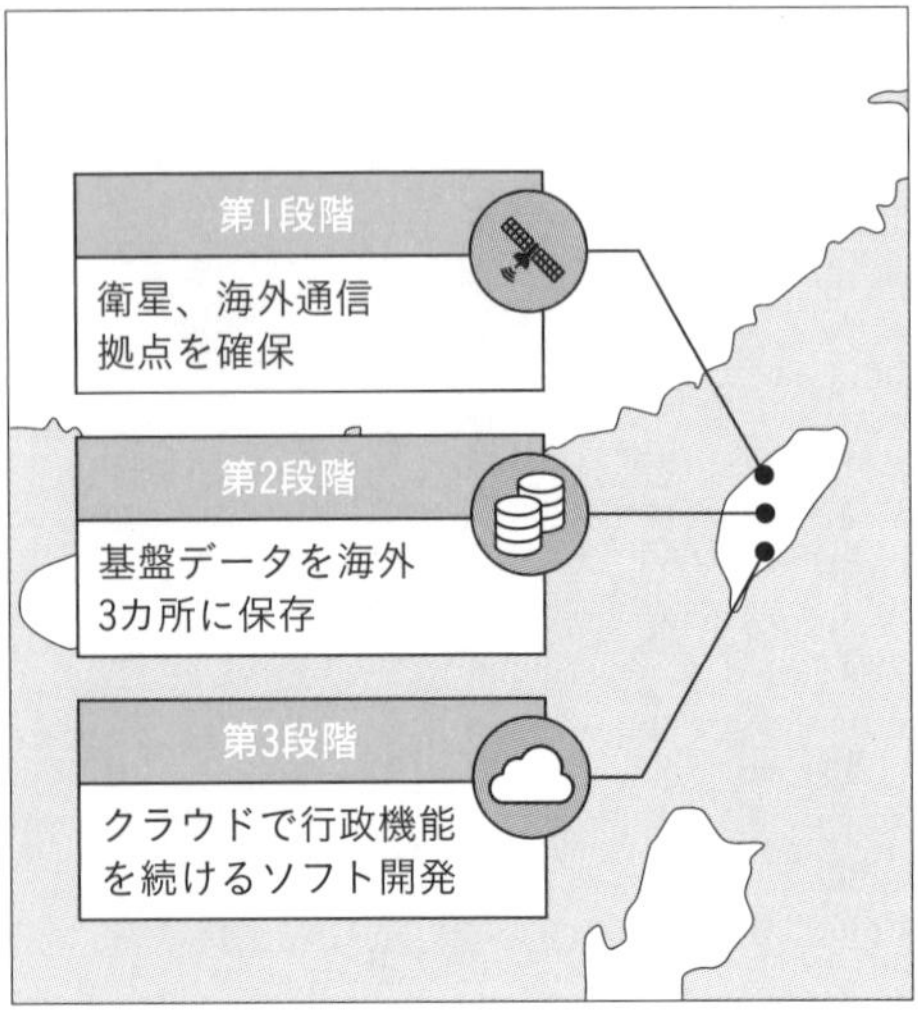

米ランド研究所は23年7月の報告書で、中国による台湾侵攻のシナリオを分析した。有事に統治機能をどう維持するのか。台湾当局が出した答えは「デジタル遷都」だ。

行政機能を維持

23年11月に台湾の行政院（内閣）が閣議決定した24年の予算案に、台湾の命運を握る約70億円規模の項目が盛り込まれた。

台湾は24年から3年かけて、税や健康・医療、住民情報などの基盤データを複数の友好国のデータセンターに分散保存する。台湾本土が攻撃されても行政機能をデジタル空間で維持する。

英国とルクセンブルクの衛星通信2社と契約し、ネット接続も確保。友好国に台湾用の通信拠点3カ所を設置する。「有事になればデータを集めて暗号を解除し行政機能を継続する」（台湾デジタル省の李懐仁次

官）

主権はデータに宿る。台湾に可能性を示したのはウクライナだった。

ロシアの侵略が始まった22年2月24日のロンドン。プリスタイコ駐英ウクライナ大使は面会者とともに1枚のメモを見つめていた。住民記録、固定資産台帳、納税情報、犯罪情報。ペン書きのメモはウクライナの基盤データの「国外退避リスト」だった。

メモを手にした面会者、アマゾン・ウェブ・サービス（ＡＷＳ）公共部門のリアム・マクスウェル氏はすぐに動いた。

26日にアマゾン関係者がスーツケース大の専用機器「スノーボール」をウクライナに持ち込み、最優先のデータの国外避難を開始した。ウクライナのデータセンターや通信設備に2発のミサイルが着弾したのはその直後だった。

第2次世界大戦で英国やフランスは中央銀行の金塊をカナダに移し、ドイツによる占領や戦後の再起に備えた。現代では避難すべき国家財産の筆頭がデータだ。国民の基盤データさえあれば、領土を失っても再建できる。

大使館級の扱い

欧州随一のデジタル国家、エストニアも動く。米ＩＴ（情報技術）企業の力も借り、ルク

センブルクに政府データをバックアップするデータセンター「データ大使館」を設置した。「データセンターの敷地は『不可侵』とする」。17年に両国はデータセンターを大使館並みに扱う覚書を結んだ。21年にはモナコもルクセンブルクに「大使館」を置いた。

ただ、特定企業に依存しすぎるリスクもある。

米起業家イーロン・マスク氏は23年9月、衛星通信サービス「スターリンク」へのウクライナの接続要請を自身の判断で拒否したと明かした。一方でマスク氏は23年10月、ネットが遮断されたパレスチナ自治区ガザにスターリンクを供与しようとして、イスラエル政府の猛抗議を受けた。

技術を自ら御しきれないと、国家は振り回される。エストニアのカリユライド元大統領は、政府自身の力で「地に足のついた対策をとることが重要だ」と説く。

欧州連合（EU）執行機関の欧州委員会は23年3月、欧州企業と「欧州版スターリンク」を整備する計画を始動した。ブルトン欧州委員（域内市場担当）は「欧州が『主権』を持つ衛星の実現に向けた一歩だ」と強調する。

2

北朝鮮の「電子の監獄」破れ
独裁に立ち向かうハッカー

独裁国家の「鎖国」を破る――。金正恩《キム・ジョンウン》指導部の統制に立ち向かうホワイトハッカー（正義のハッカー）集団が北朝鮮にいる。

「携帯電話の盗聴を知り、恐ろしさで亡命を決意した」。平壌を離れ韓国へ逃亡した40代男性は語る。当局に隠れて韓国映画を入手、配布したとして投獄されたという。

● 情報制限23億人

北朝鮮のスマホは国内の閉鎖的なネットワークにしかつながらない。無許可のアプリや動画も使えない。定期的にスクリーンショットが撮られ、何を見ているのか当局に筒抜けだ。

逃亡した男性のような人々を助けるため、北朝鮮のハッカーはスマホの改造をひそかに請け負う。監視を逃れる「脱獄（ジェイルブレーク）」と呼ばれる技術だ。

米シンクタンク、スティムソン・センターのマーティン・ウィリアムズ上級研究員らが2022年4月の報告書で実態を明らかにした。ハッカーは国内エリート校の学生や、国外に出稼ぎに行ったIT（情報技術）技術者たち。「報道や娯楽への自由なアクセスは既存の政権を打倒する可能性が高い」（ウィリアムズ氏）

国民を情報から遮断するのは専制国家の常とう手段だ。オランダ企業サーフシャークの調査では、23年1～6月に中国やイランなど世界で計23億5000万人が情報アクセスを制限された。

● 日本発のソフト

検閲をかいくぐるため、世界中で使われている無償ソフトが「VPN Gate」だ。過去10年間の利用回数は237カ国・地域で計160億回。ウクライナ侵攻後1カ月でロシアの利用者が8倍に増えた。

実は日本を代表するハッカーの登大遊氏（39、情報処理推進機構サイバー技術研究室長）が開発した。まだ10代だった筑波大学の学生時代に前身のソフトを発表。当時、経済産業省は公開停止を命じた。企業や政府へのサイバー攻撃に悪用される恐れがあったからだ。

登氏は諦めずにソフトの改良を重ね、不正利用を防ぐ方法も丁寧に説明し、再公開を果

登氏は検閲用ファイアウオールを回避するソフトを開発した

たした。そのうちソフトが検閲回避に使えるとの評判が広がり、世界からアクセスが相次いだ。

ある日、登氏は中国の国家的なネット監視システム「金盾工程」が、中国から筑波大学への接続を遮断していることに気付いた。「技術に壁をつくるなら、さらなる技術で上回る」と発奮。1年かけて壁に穴を開けることに成功した。

中国側との攻防を続ける過程で、思わぬ副産物が生まれた。新型コロナウイルス流行下、在宅勤務の普及を支えたＮＴＴ東日本の「シン・テレワークシステム」だ。セキュリティーの壁を越え、職場と自宅を安全につないで通信する。20年4月に運用を始め、今や利用者40万人超のインフラに育

った。

「好きにさせてくれた筑波大や今の職場があったから成果を出せた」と登氏。ソフトの公開停止要請にも負けず、価値を訴え続けたからこそ新たな応用が広がった。NTT東日本も「特殊局員」という肩書を登氏のために用意し、システム開発を任せた。

日本のインターネットの父と称される慶應義塾大学の村井純教授は「国や社会を変えるには技術者のオープンで自由な試行錯誤の場が必要だ」と語る。専制国家が統制のもとで資源と人材を大量投下すれば、一時的には優位に立てても、イノベーションの土壌は失われる。

グーグルのウェブ検索や知人とつながるメタの技術は、誰にも制約されない学生たちのチャレンジから生まれた。自由が育む異能たちが世界を変える。

3

「ムーンラッシュ」へ号砲
命の水、誤差１００ｍの争奪戦

世界初の快挙になった。２０２４年1月20日、日本の無人探査機「ＳＬＩＭ（スリム）」は約４カ月半の宇宙の旅を終え、月を周回する軌道から月面の一点に向かって降下を始めた。目標地点から半径１００メートル以内への「ピンポイント着陸」を成功させたのだ。

過去に探査機を月に送り込んだのは米国とロシア、中国、インドの４カ国のみ。大気がなく、減速が難しい月面への着陸は数キロ〜十数キロメートルの誤差がつきものだった。開発を担った宇宙航空研究開発機構（ＪＡＸＡ）の坂井真一郎氏は「従来の月探査とは大きく違う」と胸を張る。

● 日米印中が月探査を計画

カギを握るのが探査機に搭載した「電子の目」だ。約20分間の降下中、地表のクレーターなどを捉えて正確な飛行位置を割り出し、速度や姿勢を制御する。２００７年に打ち上

げた月周回衛星「かぐや」が詳細な地形データを集めていたおかげで、ＪＡＸＡは世界の先頭走者に躍り出た。

ピンポイント着陸を試みるのは日本だけではない。月面への基地建設を目指す米国や中国に加えて、インドも無人探査機の開発を進める。一番乗りを競うかのように、各国の打ち上げ時期は24年から25年頃に集中する。

『ムーンラッシュ』が始まった」。米航空宇宙局（ＮＡＳＡ）のダン・アンドリュース氏は世界の宇宙開発の現状を19世紀の米西部開拓時代の「ゴールドラッシュ」に例える。自らも24年に月面に送り込む探査車の開発を指揮する。

各国が探し求めるのは「金」ではなく、将来の定住に欠かせない「水」だ。地球から月への輸送費は1キログラム当たり約1億円。月面で掘り出す1リットルの水は同じ価値を持つ。

着陸に適した丘は13カ所

水が多く存在する可能性があるのは、日本から見た場合に月の輪郭の最も下に位置する南極付近だ。クレーターの中など、太陽の光がほとんど届かない「永久影」に潜むと考えられている。

過去に各国が送り込んだ探査機と着陸地点

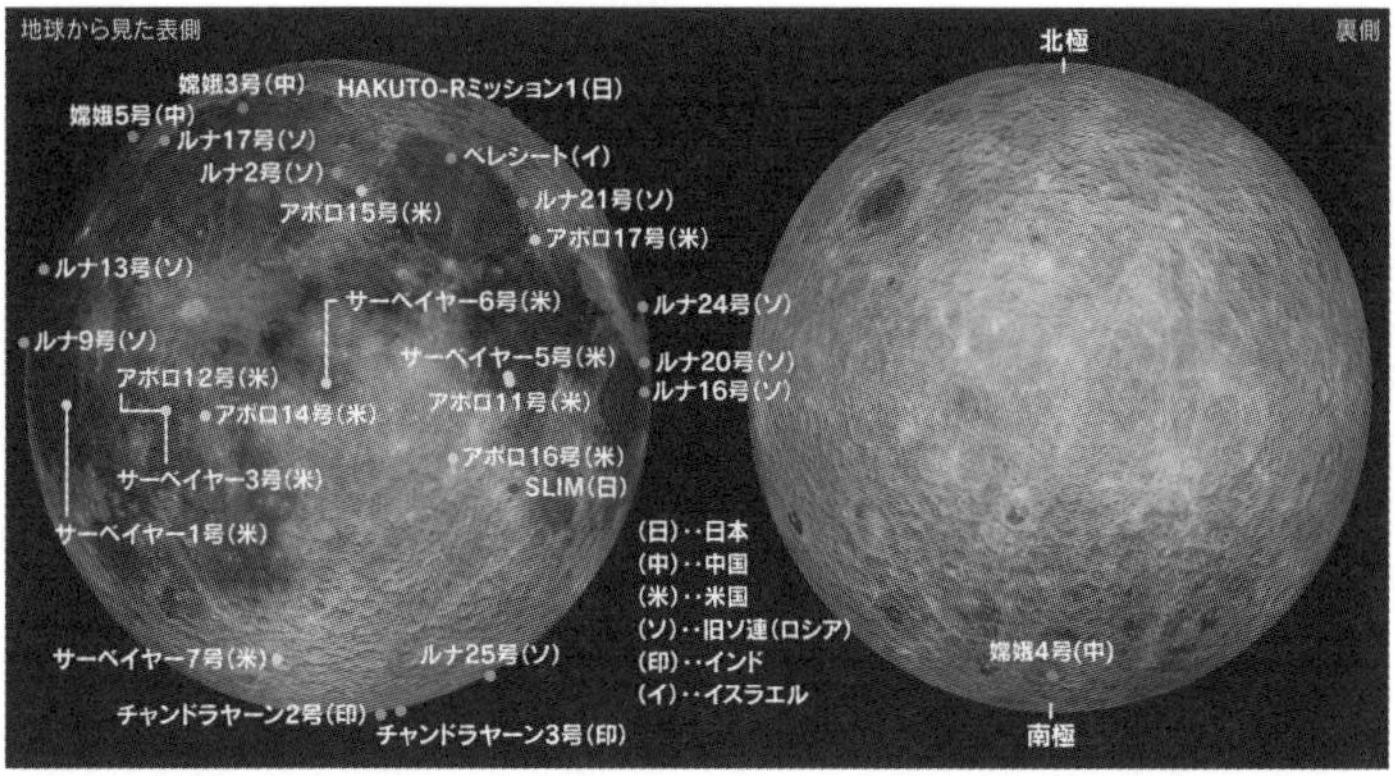

(出所)NASAのデータベース。着陸失敗も含む。

NASAによると南極点の周囲で探査機の着陸に適した小高い「丘」は13カ所しかない。希少な土地の確保は事実上の早い者勝ち。各国がピンポイント着陸を競うのはこのためだ。

月での暮らしに必要なのは水だけではない。月面には隕石《いんせき》や放射線が降り注ぎ、昼と夜の寒暖差も激しい。定住に適した土地を巡る駆け引きも始まっている。

「月の縦穴が狙われている」。JAXAの春山純一助教は月面基地の建設を目指す中国への警戒感をあらわにする。候補地の一つに挙げた地下の空洞は、かぐやの観測データを分析した春山氏が発見したものだ。

月の北西部にある丸い縦穴の底は直径約50メートル、深さは50メートルほど。そこから奥行き数十キロメートルの横穴が続くとみられている。住

空間だけでなく、基地の建築材や月面探査車の格納にも使える。中国に囲い込まれた場合、日本が５００億円をつぎ込んだ学術的な成果がさらわれる可能性がある。

宇宙空間における国家間の対立を避けるルールは存在する。１９６７年に発効した宇宙条約の第９条だ。国をまたいで流れる河川の利権を調整する取り決めを宇宙空間に応用した。争いが有害な影響を及ぼす場合には「国際的協議」に委ねると定めている。

だが、学習院大学の小塚荘一郎教授は「利害調整のメカニズムが有効に働くかは分からない」と話す。宇宙条約は国家による天体の領有は禁じるものの、資源の所有については明確な規定を欠くためだ。月面開拓時代は、衝突の危険性をはらんだまま幕を開ける。

● アポロ飛行士泣かせた月の砂　ＪＡＸＡとＮＡＳＡ、走破に挑む

東京都調布市にあるＪＡＸＡの本社。外部の光を遮断したバドミントンコートほどの広さの暗室に、月面を模した空間が広がる。２０２５年度以降に計画する月面の南極の水探査に向けて整備された実験設備だ。

高緯度特有の「白夜」を再現した照明の光が水平方向から差し込み、灰色の砂地に深い陰影を生み出す。中央では人間の腰ほどの高さの無人探査車が金属音を響かせながら走行試験を重ねる。

◎豪雪地方の「かんじき」がヒント

月面を覆う砂は、衝突で粉々にくだけた隕石の破片だと考えられている。直径は0・1ミリメートルに満たず、地球の浜辺の砂よりも小麦粉の粒子に近い。見た目は新雪のようにふわふわとしているが、圧力がかかると締め固まって探査車の脚に絡みつく。

JAXAと三菱重工業が開発中の探査車は接地面を広くとるため、4本の脚部には戦車のようなクローラー（無限軌道）を採用した。技術陣は深雪に足が沈み込むのを避けるために豪雪地方で使われてきた民具「かんじき」に例える。

月の砂は電気を帯びやすく、磁石にくっつく性質もある。半世紀前の有人月面探査「アポロ計画」では実験装置の隙間に入り込んでたびたび故障を引き起こし、宇宙飛行士らを悩ませた。三菱重工業の児玉浩明主席技師は月面の走行について「実際に動かさなくては分からない難しさがある」と話す。

月面の水はクレーターのくぼ地の底などに大量に潜む可能性がある。探査車はスキー場なら上級者向けとされる25度前後の傾きの斜面を上り下りしなくてはいけない。

ひとたび崖から転落したり、細かい砂が探査車内部に入り込んで故障を起こしたりすれば、開発に約250億円を投じる月探査は即座に終了してしまう。「あらゆる厳しい環境

を耐える設計につくり上げる」。ＪＡＸＡの勝又雄史主任研究開発員は力を込める。

月面で水が手に入れば、宇宙空間における人類の活動の幅は飛躍的に広がる。飲み水や食料生産に使えるだけでなく、電気分解によってロケットの燃料となる水素や酸素を取り出せるためだ。

月面に建設する定住基地を中継拠点とし、さらに遠方の火星に有人探査ロケットを送り込む構想も夢ではなくなる。道のりはまだ遠いものの、月面の水を最初に発見する国はそのレースの先頭走者に躍り出ることになる。

4

「シリコンの盾」攻める中国
陣取りから「人取り」合戦

「年俸は2倍、成功報酬も多額だった」。韓国サムスン電子から中国メーカーに転職した50代の技術者は打ち明ける。かつて日本の電機大手から技術を吸い上げた韓国企業が、今は中国企業に技術を奪われる立場だ。

米国の規制に阻まれ、半導体技術を渇望する中国。韓国や台湾から技術者を引き抜き、先端半導体の国産化を急ぐ。

● 技術者の出入国を管理

韓国検察は2023年5月、サムスン元常務を逮捕した。元常務はサムスンの半導体工場の図面情報を不正に持ち出し、中国の資金で工場を建設しようとした疑いがある。200人ほどの韓国人技術者を採用し用地も確保していたという。

こうした技術流出は氷山の一角だ。韓国検察庁によると、産業技術保護法の違反案件と

中国は韓台の半導体技術を渇望している（韓国サムスンの半導体工場）

認知された件数は22年に33件と前年の2倍超。装置や材料メーカーからの転職も後を絶たない。

米中の半導体衝突が激化するなか、人材は国家安全保障の要衝となる。韓国政府は半導体や電池、有機ELパネルなどの12の産業分野で技術者のデータベースを構築して出入国を管理し始めた。中国企業への転職や技術流出を阻止する。

中国が食指を動かすのは韓国だけではない。

台湾の法務部（法務省）調査局は22年、半導体関連の人材を獲得しようとした疑いで台湾内の中国関連企業8社を捜索した。中国は台湾を自国の一部とみなし、統一のためには武力行使の可能性を排除していない。台湾が

中国にあらがう手立てとするのが半導体製造技術だ。

台湾の最先端半導体は世界のＩＴ（情報技術）供給網の生命線となっている。危機が迫れば米国など世界が黙ってはいない。これが中国に攻撃をためらわせる「シリコンの盾」となる。

台湾当局は23年12月5日、22年に新設した「経済スパイ罪」の第1弾の対象技術に先端半導体など5分野22項目を指定した。中国などのスパイ行為を防ぐため、中核技術を持ち出す行為に最高12年の懲役を科す。

知的財産保護に詳しい台北大学の陳彦良教授は中国の動きについて「かつては半導体工場のチームを丸ごと引き抜くようなやり方が目立ったが、近年は台湾に採用目的のダミー会社を置き、必要な技術者を個別にスカウトするようになった。水面下の動きで全容を把握しづらい」と警戒する。

領土の奪い合いが国力を決定づけたのは過去の話。今や研究人材や起業家ら「知」の奪い合いが国家間の新たな戦争となる。

● サウジアラビアの賭け

その合戦に、中東の盟主サウジアラビアが名乗りをあげた。石油マネーの行く末に不安

を抱く同国は、イノベーション立国への転換をはかり、頭脳人材を世界中からかき集める。集積地として、超大型のビル型都市「ＴＨＥ ＬＩＮＥ」の建設を始めた。

　高さ５００メートル、長さ１７０キロメートルに及ぶ巨大な構造物で、砂漠を横切り山岳地帯から海までそびえ立つ。敷地面積は東京の２％ほど。そこに９００万人を集めるという型破りな構想だ。人口３２２０万人のサウジにとって「新しい文明の創造になる」とムハンマド皇太子は訴える。計画全体の総工費は５０００億ドル（約70兆円）にのぼる。「早くも移住に前向きな研究者が現れた」とサウジ国内の大学関係者は明かす。次に引き抜きのターゲットとなるのは海外の頭脳だ。サウジは22年から米欧、東京を含むアジアの主要都市を巡ってイベントを開き、投資を呼び掛けた。

　化石燃料の次は頭脳人材という資源が国の浮沈を握る。新たな国家間競争に乗り遅れては生き残れない。

5

沈むモルディブに水上都市
気候難民、始まった大移動

その家は想像より快適だった。モルディブが計画する「水上都市」のモデルハウスだ。首都マレからボートで5分。絵本から抜け出したように鮮やかな緑色のドアをくぐると、海風が抜ける広々としたリビングがある。波の揺れはほとんど気にならない。

気候変動により、２０５０年にも大半が海にのみ込まれる島国モルディブ。全人口50万人が「気候難民」となる現実を前に、移住計画が進む。

秘策が世界最大級の水上都市だ。モデルハウスと同型の住居をハチの巣状に組み合わせる。海底とは伸縮する柱でつながり、海面が上昇しても沈まない。3年後に入居を始め、28年には4万〜5万人が住む街がサンゴ礁の上に浮かぶ。

「１００％化石燃料を使用しない」と開発企業モルディブ・フローティング・シティのイブラヒム・リヤズ氏は話す。電気は屋上の太陽光パネルや潮流を利用した発電でまかなう。空調には海からくみ上げた冷たい水を使い、飲料水や生活用水も海水を濾過《ろか》する。

沈むモルディブで「水上都市」への移住計画が進む（写真はモデルハウス）

大量のエネルギーと資源を使う従来型の開発が地球温暖化を招いた。その反省に立った設計思想が根底にある。

技術協力をしたのはオランダの民間企業だ。モルディブのナシード元大統領が働きかけ、10年以上前から計画を練ってきた。

国土の4分の1が海抜ゼロメートル以下のオランダは、古くから治水技術が発達し、浮体式の水上住宅に取り組んできた。多くの運河などに浮かぶ水上住宅は1万戸にのぼる。今やオフィスや農場も水上にある。

「我々は水との関係を再定義すべきだ」と水上住宅設計会社Blue21の共同創業者ルトガー・デ・グラーフ氏は強調する。水と戦うのではなく、水と共生する。浮体式住

宅は水面の上下に適応し、地震や津波、洪水にも強いという。

水没が迫るのはもはや一部の国にとどまらない。国連安全保障理事会は23年2月、国際紛争ではなく海面上昇を初めて議題にした。「あらゆる大陸の大都市が深刻な影響に直面する」。グテレス事務総長はニューヨークやロンドン、上海などを挙げて警告した。

さらに温暖化は山火事やハリケーン、異常な熱波も引き起こし、人間が安心して住める土地を狭めつつある。豪シンクタンクの経済平和研究所は「50年までに12億人が避難生活を余儀なくされる」と予測する。

「今後数十年で国境や大陸を越えた避難民を目の当たりにするだろう」と英科学ジャーナリストのガイア・ヴィンス氏は訴える。温暖化が進むと、地球上で最も人口が多いアジアや米国、南欧などが砂漠化する。生存可能な土地を求め、人々はシベリアやカナダなど高緯度地域に逃れる――。

だが「解決策はすでに手の届くところにある」とヴィンス氏は指摘する。技術的には植物由来の代替肉や温暖化に強い遺伝子組み換え植物により、耕作地の減少や食料難に対応できる。暑くて住むのが困難な土地に大型の太陽光発電所をつくり、遠くの街へ電力を送る超電導送電技術も進む。

脱出は静かに始まっている。沈みゆく太平洋の島国ツバルは23年11月、移住を後押しす

る協定をオーストラリアと結んだ。豪政府はツバル国民に対して、豪州での居住や就業、就学を認める。「尊厳を持った移住を可能にする」。両国の共同声明はこう記す。

政治や言語、文化の違いを乗り越え、ともに暮らせるか。地球規模で共生をはかる知恵が必要になる。

インタビュー

米マサチューセッツ工科大学教授
アビジット・バナジー氏

働かなくてもいい社会は幸せか ＡＩが問う「生きる意義」

バナジー氏は「成功の規模が変わったことが所得分配に影響している」とみる＝田中克佳撮影

1961年、インド生まれ。貧困地域で最適な支援策を実験に基づいて見つけ出す手法が評価され、2019年に夫婦で同時にノーベル経済学賞を受賞した。著作のほか最貧地域でのドキュメンタリー作成なども手掛けている。

先進国で所得格差と低成長が問題となっている。テクノロジーの進歩は人類を幸せにできるのか。２０１９年にノーベル経済学賞を受賞したマサチューセッツ工科大学（ＭＩＴ）のアビジット・バナジー教授は人工知能（ＡＩ）によって雇用が失われる近未来に備え、ＡＩを教育に活用する公的投資を推進していくべきだと説く。

テクノロジーが経済格差を広げる

――テクノロジーの進歩は富の極端な偏在という状況を悪化させているのか、それとも改善させているのでしょうか。

「テクノロジーがスキルプレミアム、つまり高いスキルを持つ技術者と低技能労働者との賃金差に影響を与えることは明白だ。実際に、ＩＴ（情報技術）などの高度な技能を持つ者の賃金は相対的に上昇し、低技能労働者の賃金は低迷している」

「テクノロジーと富の蓄積との関係について簡単に答えることはできない。一つ言えることは、市場がグローバルに統合されたことによって、ビジネスが成功したときに得られる

富が桁外れになったということだ。グーグルのような巨大テック企業を考えれば分かる。テクノロジーの影響で成功の規模が変わり、所得分配の状況が変化していると見ることはできるだろう」

――ＡＩが人間から仕事を奪う可能性があります。雇用へのインパクトを懸念する声が高まっています。

「例えば企業の業務プロセスの一部を外部委託するビジネス・プロセス・アウトソーシングを考えてみてほしい。この分野はインドが有力な受託先となっており、非常に大きい業界が形成されている。だがテープ起こしのような仕事はＡＩの機能向上によって人間がやる必要はなくなるだろう。賃金の柔軟性にもよるが、こうした業務分野では最終的には低・中級技能の雇用が失われると考えざるをえない」

「仕事を失った人のうちどれくらいがスキルアップし、時代が求める新しい仕事に就けるのかが問題となる。重要なカギを握るのが教育だ。これから取り組むべきはＡＩを教育に活用することだと思う」

――ＡＩは教育現場のどのような課題を解決できるのでしょうか。

「現在の教育システムはとても硬直的だ。教師には教えることが上手な者もいれば、そうではない者もいる。人間の教師の質にはばらつきが避けられないが、ＡＩは原理的には最高の教師になりうるだろう。単に教材を説明するのではなく、生徒の習熟レベルや性格に合わせて細やかに教え方を変える双方的な指導ができる」

「教育現場においてＡＩを創造的に用いることができれば、人々が社会に即した高いスキルを効果的に身につけるための大きな後押しになるだろう。そのようにして教育された人材によって、今まで存在しなかった新しい仕事が生まれるかもしれない」

――教育の他福祉の分野でもＡＩを活用できる領域はありそうです。

「医療だ。世界の大部分では、人々はまだ質の低い医療しか受けることができていない。問診内容をＡＩが読み取って『ではこうしてください。病院に結果を送ります』などと適

切な指示を出すようになれば、人間の医師による処方よりも医療の質は上がるだろう」

「こうした分野にもっと公的な投資がされるべきだと私は考えている。貧しい人の福祉にＡＩを活用することは一見、魅力的な施策ではない。だからインセンティブがゆがんでしまい導入が遅れている。先進的なテクノロジーは社会に望ましいことのために使わなくてはならない」

● 自由になった時間を何で埋めるか

――テクノロジーによって、私たちの生活の利便性は飛躍的に向上しました。そのことで人々の幸福度が上がっていると言っていいものでしょうか。

「スマートフォンが社会に浸透したことで、誰もが情報に容易にアクセスできるようになった。今は家族それぞれが自分の端末で好きな動画を見られる。母親が見たいテレビ番組を子どももしかたなく見ているという光景は今や過去のものだ」

「ただ情報環境が豊かになったから幸福度が上がったとは言い切れない。人々はSNSを通じて『社会的な成功とはこういうものだ』というイメージを植え付けられている。そして他人の成功を妬んだり、他人の消費をうらやんだりしている。SNSに流れてくる情報に振り回されているのだ。だからフェイスブックを使用禁止にすると、幸福度が上がるという研究もある」

「情報に触れることが往々にしてストレスや怒りをもたらすのだから、『SNSには社会的な利益がある』という素朴な見方には私は懐疑的だ。インドではスマホの支払いアプリでバナナを買え

「情報環境が豊かになったから人々の幸福度が上がったとはいえない」と語る

るが、だからといってインド人の幸福度が上がっているといえるほど話は単純ではない」

——幸福度は雇用や賃金と密接に結びついています。だとしたらAIが人間の労働を代替していくことで、人々の幸福度が下がってしまうとも考えられます。

「それは重要な指摘だ。政府が全国民に最低限の所得を保証するユニバーサル・ベーシック・インカム（UBI）という考え方がある。これを導入すると、労働者はたとえ職を失っても生活はできる。その結果、人々が創造的なビジョンを持ち、多様な活動に取り組むようになると期待する人もいる」

「ただ私が思うに、自由になった時間を自分で埋めるのは非常に難しい。私の教え子がバングラデシュのロヒンギャ・キャンプでランダム化比較試験（RCT）という手法を用いて発見したのは、働かずにお金をたくさんもらえるより、少ないお金しかもらえなくても働く方がいいという人が多いことだった。ウガンダでの実験でも人々は働く方を選んだ」

——労働を手放すと人は途方に暮れてしまいます。「働かなくてもいい社会」が到来

すると、新たな問題が出てきそうです。

「近代以降、人々は農場や工場で働くことで自分の時間を構築してきた。ＡＩが人間の労働を代替した結果、働かなくてもいい社会が到来したとする。そのとき人々は自分の時間を何に使うのか。『自分で娯楽を見つけなさい』というのは簡単だが、人生の時間を埋めるほどの娯楽を見つけられるだろうか」

「仕事を失えば収入が減るだけではない。米国では失業者の間で医療用麻薬のオピオイドを不正に使用した死亡事故が急増した。テクノロジーをどう人の幸せにつなげるかを考えていくべきときだと私は思う」

科学ジャーナリスト　ガイア・ヴィンス氏

そしてアジアも砂漠に……気候崩壊が迫る「人類大移動」

ヴィンス氏は気温上昇を止める技術について「開かれた議論をしていない」と指摘する＝Miki Yamanouchi撮影

英ユニバーシティー・カレッジ・ロンドン人新世研究所名誉シニア・リサーチ・フェロー。英科学誌「ネイチャー」などで編集経験をもち、2015年に著書『人類が変えた地球　新時代アントロポセンに生きる』で英王立協会科学図書賞を受賞。人類と地球環境の「相互作用」を関心の対象として執筆活動などに励む。

気候変動が深刻化し、世界で10億人規模が慣れ親しんだ土地に住めなくなる未来が現実味を帯びてきた。途上国に限らず、日本を含む中緯度地域でも安心して暮らせる場所は減る。国という枠にとどまらず、地球規模で一体となって適切な場所への移住を進められるのか。『気候崩壊後の人類大移動』（原題『NOMAD CENTURY』）の著者で英科学ジャーナリストのガイア・ヴィンス氏に聞いた。

◎「人新世の四騎士」　熱波、火災、干ばつ、洪水が農業脅かす

——気候変動は人類にどんな危機をもたらしますか。

「人類は過去1万年以上にわたり、温暖で安定した気候のおかげで繁栄を遂げた。地球上で支配的な種となり、動植物の生存を左右し、気候や大気の温度も変えてきた。今や80億人もの人口を抱え、相互に強くつながり、ネットワークで結ばれている。ある都市で起きた出来事が世界の食料やエネルギーの価格、人々の生活に劇的に影響する。発展の一方で、ショックに対して非常に脆弱になった」

「今、人類は経験のない気候危機に直面している。産業革命前からの気温上昇が1・5度を超えると大きな脅威となる。私が『人新世の四騎士』と呼ぶ熱波や火災、干ばつ、洪水は農業を脅かし、食料価格を押し上げる。高潮や海面上昇は人々の生活を耐え難いものにしており、気候モデルによれば、気温が上昇するにつれて世界の大部分はますます居住不可能になる」

——何が起こるのでしょうか。

「熱帯地方は多くの人が過酷な状況になり、対応できなくなる。例えばインドのムンバイは高潮の被害を受け、高温に苦しんでいる。20年後、あるいは40年後に膨大な人口がムンバイにとどまることは不可能だろう。街自体は存在し裕福な人は食料、水、エアコンを手に入れられるが、大勢が居住困難となり、移住が必要になる」

「気温の上昇は今世紀末までに2・5～4度になる可能性が高い。致命的であり危険だ。気象災害による避難民は今のところほとんど同一国内にとどまっているが、今後数十年の間に国境や大陸を越えて避難する人々を目の当たりにすることになるだろう。その準備が

できているかといえば、できていない」

砂漠化するスペイン、イタリア 経済や産業も北にシフト

――世界はどんな姿になるのでしょうか。

「熱帯はすでに住みにくさが増している。火災や干ばつ、洪水が連鎖的に次から次へと起きている。米大陸の（南米の）パタゴニア地方から（米国とカナダの国境付近にある）五大湖までや、アフリカ大陸から南欧にかけての地域はかつての気候が失われている。地中海性気候のスペイン、ポルトガル、イタリアは砂漠と化しつつある。地球上で最も人口が多いアジアからオーストラリアにかけても砂漠化が進む」

「これらの地域は誰も住めなくなるわけではないが、順応できる一部の地域で少人数が暮らすのにとどまるだろう。気候変動の悪影響から逃れられる場所はないが、一部で恩恵を受ける地域もある。地球の北部では冬が温暖になって暖房費の負担が軽くなり、農作物の生育期間がのびて栽培できる作物も増えている。カナダやロシア北部、スカンジナビア半

図表9　気象災害による世界の避難民の数

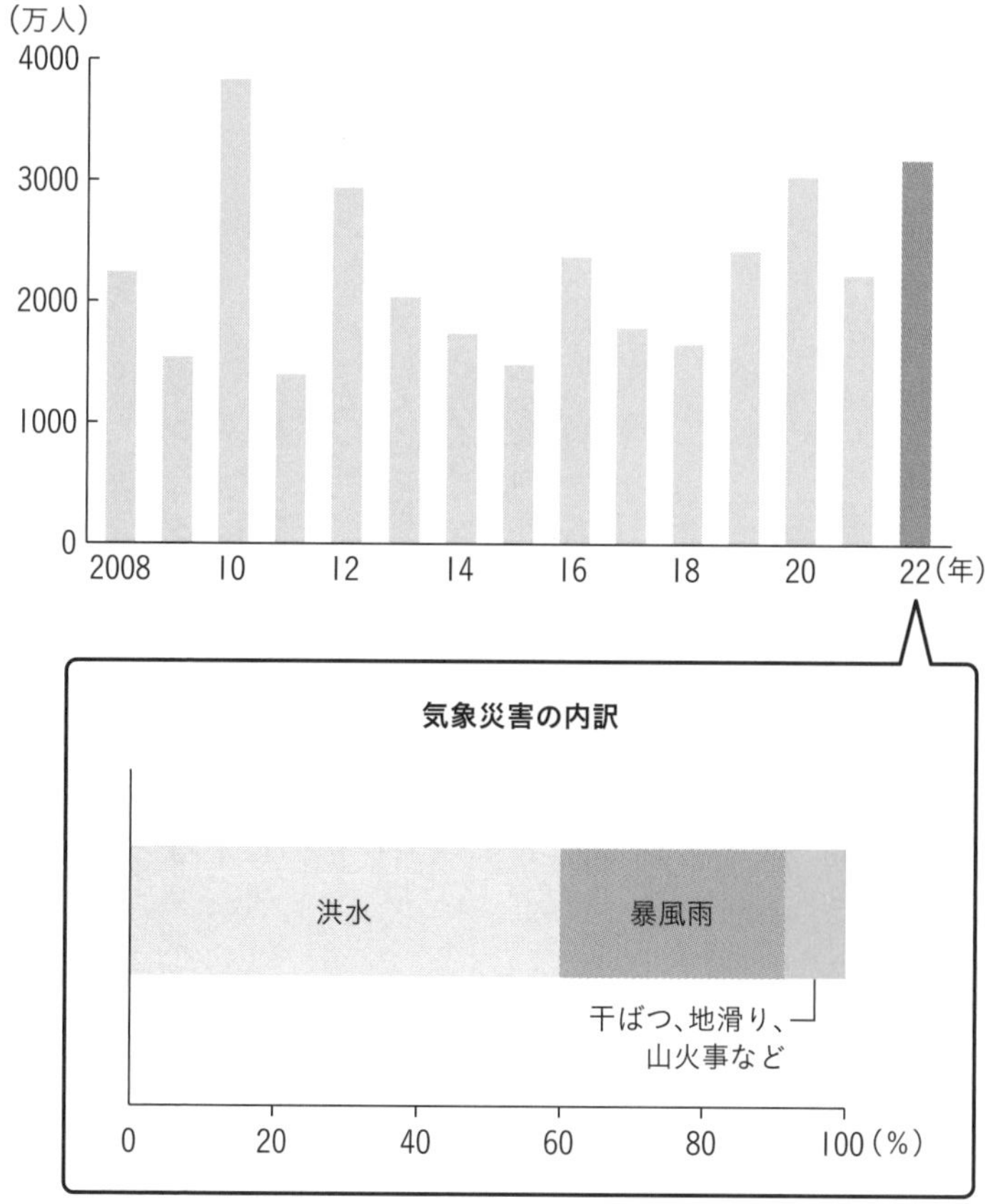

（出所）国内避難民監視センター

島、グリーンランドなどだ。人々が北へと移住すれば、経済や産業もシフトする」

――気候変動による国境を越えた移住を人々はすんなり受け入れるでしょうか。

「簡単ではない。多くの制約があり、移住に伴って様々な問題も生じる。国境は政治的なものだけでなく、私たちの心の中にもある。異なる言語の人々が自然にコミュニケーションをとることは非常に難しい。誰もがお互いの助けを必要としているが、全員が頼りになるネットワークを見つけるハードルは高い」

「『どこで配管工を探せばよいか』『どう仕事を見つけるのか』『必要な資格は何か』――。これらは生まれ育った土地では簡単に解決できることだ。それを移住者でも可能にする必要がある。私たちは地球全体が誰でも移住できる『家』であるとの考えを受け入れ、安全な場所を共有し、協力して居住地を築かなければならない」

○２０５０年までに12億人の気候難民の見方も

――いつまでにどのくらいの規模の移住が必要となるでしょうか。

「予測は様々だ。控えめに見積もっても２０５０年までに数十万人にのぼり、12億人の気候難民が発生する可能性があるとの見方もある。その数は多くの条件に左右される。（気候変動に）最も脆弱な地域がどれだけ適応できるかと関わり、当然、温暖化ガス排出量の削減次第でもある」

――世界では移民の受け入れに否定的な人も多くいます。

「現在の移民を巡る議論は嫌悪すべきものだ。国家主義的なポピュリストの指導者たちに先導されている。経済的に見ても愚かで、社会の分断を招いている。自らの政策選択の失敗を疎外された集団のせいにするのは簡単で、誰にとっても分かりやすい。極右の大衆的な指導者たちはそれを期待しているわけだ」

「問題は他の指導者たちが責任を取らないことだ。移民を巡る誤解に異議を唱える指導者がいなかった。たいていの人は見知らぬ人でも歓迎し、喜んで社会に受け入れる。しかし（移民を排斥するという）有害な議論を常に聞かされ、問題が起きている。私たちはこの課題に挑まなければならない。労働力を増やすために移民に頼る必要のない先進国などないのだから」

◎ 気候移住は「地球規模の問題」

――太平洋の島国、ツバルが国民の移住を後押しする協定をオーストラリアと結びました。あるべき移住の姿とはどのようなものですか。

「オーストラリアがツバルと結んだ合意は歴史的なものだ。気候のために人々が移住せざるをえなくなることを認めたもので、歓迎すべき内容だ。オーストラリアは状況を理解し、機会と目的をもって生き続ける（ツバルの）人々を市民として受け入れる。対象はとても小さな人数だが、重要な第一歩だ」

「我々は二国間協定の有効性について考えると同時に、地域間の協定についても考えていく必要がある。都市のレベルでは自治体の首長が率先して取り組むべきだろう。当然、これは地球規模の問題であり、グローバルな視点も必要だ」

――各国の政治指導者にはどのような役割が求められますか。

「まず移民は安全保障の問題ではないことを認識する必要がある。多くの国は国境を越えた人の移動を安保の問題であるかのように扱っている。実際はそうではなく、労働力や経済の問題だ。当然、人道的な側面もあり、我々は人々が仕事を求めて移住することについて、より包括的に考える必要がある」

「国境はもともと人が国外に出ていくのを止めるためにつくられた。農業従事者、軍関係者、工業を支える労働者など、人の流出を食い止めたいと考えるのは当然だった。かつて多くの帝国はそういう事情を抱えていた。ショッキングな方法で労働力となる人々を捕らえることも多かった。必要なのはこうした考え方を超える発想だ。より良い未来のため、仕事を求めて移住する人々が報われ、経済の一部となるような対応が必要だ」

◯ 未来の都市は北部に新たな形で

——気候変動が深刻化する時代に都市の姿はどうあるべきでしょうか。

「未来の都市は現在とは違う場所にあり、より北に移るだろう。安全な地域に新しい都市を建設しなければならない。（都心から郊外へ無秩序に市街地が広がる）スプロール化した都市ではなく、より多くの人々が住む密度の高い都市になるだろう」

「地球の北部でメガシティーを再現しなければならないが（今とは）違った形で都市を設計する必要がある。受動的にエネルギーを消費するだけの建物は無用だ。自家発電でエネルギーをまかなわなければならない。建築材は低炭素でありながら猛暑や鉄砲水、暴風雨にも強いものを使う必要がある。インフラや街路は突然の豪雨に対応するとともに、干ばつに備えて水を蓄えておかなければならない」

——上空に二酸化硫黄（SO_2）などをまいて太陽光を反射させるなど、気候工学と呼ばれる技術が研究されています。

「まだほとんど議論されていない技術だが、地球の温度を下げる手段だ。火山の作用をまねて成層圏にＳＯ^{2}を放出することもできるし、太陽の熱を反射する低層雲を用いることも可能だ。（気温上昇を止める）チャンスはあるが、人々はそれについて率直に話さず、指導者たちと開かれた議論をしていない」

「安全策はどうなるのか、どう規制するのか、悪影響を受ける地域社会への補償はどうするのか、いつ使用を中止するのか、産業革命前の平均気温まで下げるのか、これらの決定はどのように下すのか――。全く議論されていないことこそが最も危険だと私は思う」

インタビュー

米研究者　マーティン・ウィリアムズ氏

北朝鮮に潜む「反逆のハッカー」当局のスマホ監視を突破

ウィリアムズ氏は朝鮮半島問題を分析するウェブサイトを運営する

米スティムソン・センター上級研究員。2010年に北朝鮮の技術開発を分析するウェブサイト「ノースコリアテック」を創設。11～12年にはスタンフォード大学でナイト・ジャーナリズム・フェローを務めた。朝鮮半島問題を分析するサイト「38ノース」プロジェクトにも取り組む。

国民のインターネット利用を厳しく規制する北朝鮮で、その壁の突破に挑むハッカーたちがいる。同国の通信技術やプロパガンダを研究する米シンクタンク、スティムソン・センターのマーティン・ウィリアムズ上級研究員に、ハッカーの活動や情報封鎖の実態を聞いた。

――北朝鮮の国民は、自由にスマートフォンを入手できるのですか。

「我々の調査では、北朝鮮ではお金さえあれば誰でもスマホを手に入れられるようだ。地元の党書記、場合によっては警察の承認を得る必要があるとされているが、ほとんどの国民にとっては難しいことではない」

――北朝鮮のスマホは国民の通信を検閲するため、どのような機能を備えているのですか。

「利用者は国内の電話番号にしかかけられず、国際電話は利用できない。接続できるのも国内のイントラネットのみで、インターネットへは不可能だ。全ての画像、ビデオ、アプ

リなどのコンテンツは、読み込みに政府発行のデジタル署名が求められる。デジタル署名がないファイルは開けない」

「さらにスマホには『トレースビューワー』というアプリが入れられ、ランダムにスクリーンショットを撮る。ユーザーは見ることも削除することもできないが、当局はすぐにアクセスすることができる」

――監視機能の「脱獄（ジェイルブレーク）」を請け負うハッカーとは、どのような人々ですか。

「私が話を聞いたハッカーは、金日成総合大学に通う北朝鮮のコンピューターサイエンス専攻の学生と、元海外ＩＴ（情報技術）労働者だった。2人とも中国のアプリを使ってスマホにアクセスし、監視ソフトを破っていた。ＩＴに非常にたけており、アプリを自由にインストールし、その他のコンテンツを閲覧できるようにしていた」

――北朝鮮政府は国民の情報へのアクセスを閉鎖する一方、国民を労働者として海

外に送り出しています。政府にとってリスクではないのですか。

「その通りだ。外貨獲得の目的で出国させられる労働者は、ＩＴスキルの高い人々をはじめ、衣料品、建設、林業など幅広い。通常、彼らは現地の電話を持つことを許されず、インターネットにアクセスはできない。彼らの宿泊施設は一緒になっており、仕事場や宿泊施設を離れて一人で街を歩くことも許されていない」

「一部の海外労働者は監視の目を盗んでネットにアクセスし、ユーチューブで韓国の動画など海外情報を見ている。私は韓国に逃亡した何人かに会ったことがあるが、彼らはユーチューブで他の逃亡者のビデオを見て、国外脱出を決意したと言っていた」

――北朝鮮国民が自由に報道や娯楽にアクセスすることは、政府にどのような影響を与えますか。

「メディアやエンターテインメントへの自由なアクセスは、金正恩《キム・ジョンウン》総書記や朝鮮労働党の既存体制を崩壊させるだろう。ほとんどの人々はプロパガンダに囲まれている。体制が機

能する唯一の方法は、国民に別の視点を認めないことだ」

「北朝鮮の国民が自由にアクセスできるようになれば、世界における自分たちの立場や、国家や指導者がいかに韓国や他の国から何十年も取り残されているかを理解し、それを破壊することにつながる。だからこそ国家は情報が入ってくるのを必死で阻止しているのだ」

第4章

理想を求めて

1

ＡＩに善意は宿るか　「ゴッドファーザー」が憂える数式

カナダのトロント大学に隣接する閑静な住宅街。同大名誉教授で人工知能（ＡＩ）研究の「ゴッドファーザー」と呼ばれるジェフリー・ヒントン氏の自宅に２０２３年12月27日、20年来の教え子が訪れた。

訪問者の名はイリヤ・サツキバー氏。23年11月に米オープンＡＩのお家騒動でサム・アルトマン最高経営責任者（ＣＥＯ）の解任を試みて失敗し、最高幹部の座を追われた人物だ。

サツキバー氏はＸ（旧ツイッター）上に「深く反省している」という言葉を残し、表舞台を去った。クーデターの動機を巡っては、人類を脅かしかねない高度なＡＩの開発を止めるためだったという観測も報じられた。真相は今もやぶの中だ。

図表10 GNPが無限大に？

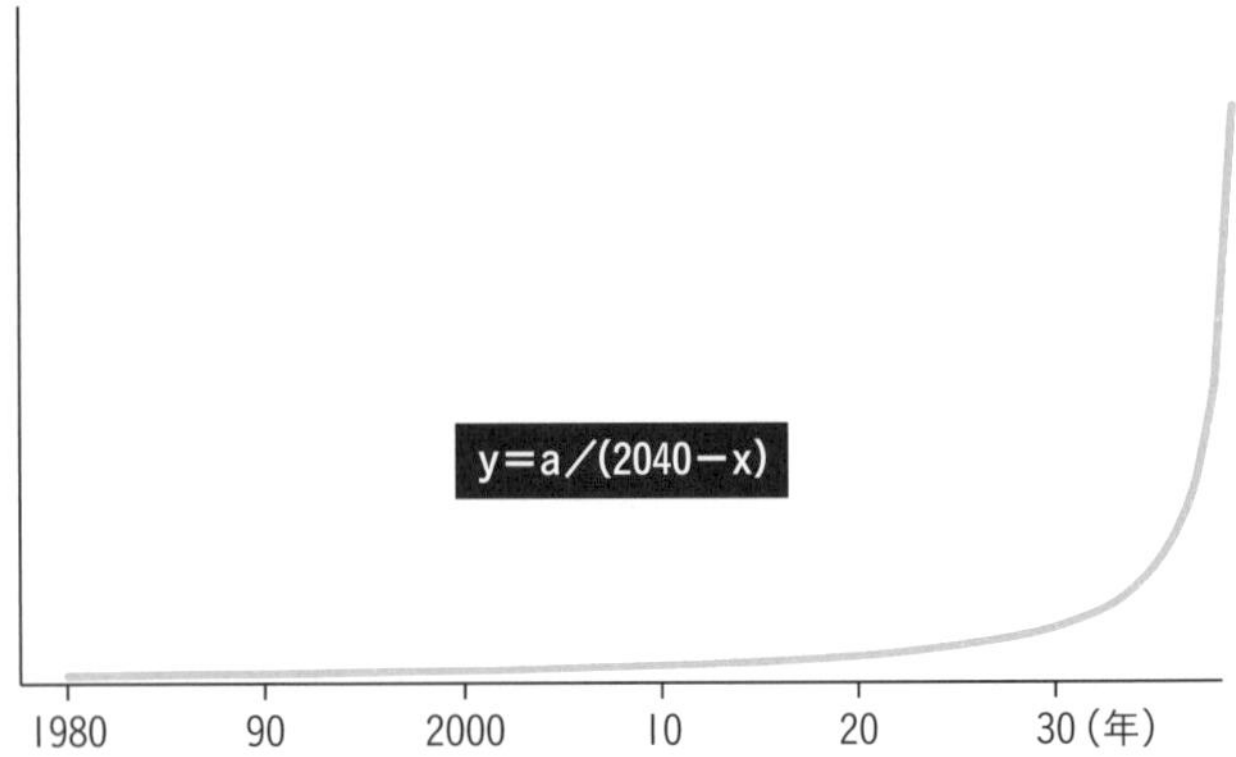

オープンAIのアルトマン氏と対立したサツキバー氏が考案した数式「y＝a／(2040－x)」(yはGNP、aは定数、xは年数)は2040年に無限大になる

● ＧＮＰを予測する「恐ろしい曲線」

「話したくなければ話さなくていい」。ヒントン氏は弟子を気遣い、一連の騒動にはあえて触れなかった。代わりに2人がサーモン料理の昼食を共にしながら議論したのは、ある数式から導かれる「とても恐ろしい曲線」についてだった。

　ヒントン氏が日本経済新聞の単独インタビューで明かした。サツキバー氏が考案したその数式はy=a/(2040-x)。yは国民総生産（ＧＮＰ）、xは年数を表す。

　様々な国のＧＮＰの推移がこの数式によく当てはまることが分かったというのだ。農耕の普及や産業革命によって上昇を続けてきたＧＮＰの曲線は、生成ＡＩが登場した20年代から次第

に急勾配になる。この先も数式通りにGNPが成長すれば、40年には無限大に達する。

AIが人間の知性を超える瞬間は「シンギュラリティー（技術的特異点）」と呼ばれる。AIが爆発的な発展を遂げ、GNPのほとんどを稼ぎ出すようになれば、人類の存在は無視できるほど小さくなる。

AIが経済活動を支配する世界では「どんなことでも起こりうる」（ヒントン氏）。2人はAIが独自の意思を持ち、人間の指示に従わなくなる未来を警戒する。「だから我々はそのことを話し合ったんだ」

● 軍事転用に警戒感、乱れる国際協調

AIに意思や感情は宿るのか。それは人間にとって「善意」とみなせるものなのか。言葉を巧みに操る「Chat（チャット）GPT」が火を付けた生成AIブームの舞台裏で世界の科学者は今、人間観にかかわる根源的な問いに直面している。

「AIシステムが感情や人間レベルの意識を持つことを想像するのは、もはやSFの領域ではない」。数学や物理学、量子力学の専門家らでつくる数理意識科学学会は23年、国連の諮問機関に緊急の課題として対策に取り組むよう勧告した。

AIが意識を持つか否かは、古くから議論されてきた。著名なAI研究者や神経科学者

のグループは決着をつけようと、23年に検証のアプローチを示す論文をまとめた。科学的な理論を総動員し、ＡＩの意識の有無を評価する手法づくりに挑んでいる。

論文の執筆には「人工意識」の開発に挑む日本のＡＩスタートアップ、アラヤ（東京・千代田）の金井良太ＣＥＯも加わった。同氏は「現在の生成ＡＩの基盤技術である大規模言語モデルに意識が宿ることも否定できない」と指摘する。

各国が軍事転用を狙っていることも、ＡＩが自律的に行動し始める事態への警戒感を高めている。すでにリビアでは人間の命令が要らないＡＩ殺人兵器が実戦投入されたとの報告もある。危機感を強めた欧州の主導で国連は23年末に規制を見据えた緊急の対応を決議したが、ロシアやインドは反対票を投じた。

●テック業界は議論をタブー視

テクノロジー業界では開発スピードが優先され、ＡＩの意識を巡る議論はある種のタブーとみなされてきた。米グーグルの研究者だったブレイク・レモイン氏は22年、同社の生成ＡＩが意識を宿したと主張し、守秘義務に違反したなどとして解雇された。

ヒントン氏はＡＩのリスクについて気兼ねなく発言するため、約10年間所属したグーグルを23年に退社した。ＡＩ兵器の開発や使用に対する抑止力はあまり機能しておらず、人

類にもたらす脅威は「原爆を上回る」と危惧する。

ヒントン氏は人類の存亡を左右しかねない技術を自ら生み出したことについて「後悔はしていない」と語る。「人類の誰もがＡＩに支配される未来を望んでいない。その事実が、ＡＩの規制に向けてあらゆる国が足並みをそろえる共通の土台になる」と望みをかける。

2

夫婦の家事分担、不公平なくします
数理で導く「納得感」

スイスの大都市バーゼルとチューリヒの中間に位置するアーラウ市。人口２万人のこの街で２０２３年、民主主義の根幹である投票制度を見直す実験があった。使ったのは「イコールシェア（均等分配法）」と呼ぶ新手法だ。

● 電子投票で実現したい政策を選択

まずは住民から実現したい政策を募って必要な予算総額をはじき出す。それを有権者に均等に割り当て、小分けにした予算枠を１票ごとにひも付ける。電子投票の結果、必要な予算額を満たす票数を集めた政策を実行に移す仕組みだ。

体育館の開放や農園整備など、集まった政策のアイデアは１００件を超えた。このうち33件が投票にかけられ、17件が選ばれた。その一つが24年1月に市内に設けられた「オープンワードローブ」だ。着なくなった洋服を誰でも自由に預けたり交換したりできる。

日本では国政選挙のたびに1票の格差訴訟が起きる。米大統領選でも大半の州が採用する「勝者総取り方式」が社会の分断を深めている。公平な1票のあり方は、世界の民主国家を悩ませるテーマだ。

イコールシェアの手法は、従来の投票制度が抱える不公平感を分析するフランスやポーランドの研究者らが考案した。提唱者の一人、パリ・ドーフィン大学のドミニク・ピーターズ博士は「少数派の声を反映しやすい。若者の政治への関心も高まる」と強調する。

●「ＡＩは暗視ゴーグルの代わり」、税逃れの調査強化

国家の財政基盤を支える税についてもデジタル技術で公平さを保とうとする動きがある。「人工知能（ＡＩ）を『暗視ゴーグル』代わりにして調査を強化する」。日本の国税庁にあたる米国の内国歳入庁のダニー・ワーフェル長官は米メディアにこう語る。

暗闇の敵を見つけるように「大企業や億万長者に税金を払わせる技術を結集している」という。同庁は近年、調査の限界に直面していた。税逃れに使われやすい「パートナーシップ」と呼ばれる団体が乱立し、人手不足に陥ったためだ。20年に調査できた案件は10年前の10分の1に満たなかった。

23年秋からはＡＩやデータ分析の専門家を動員し、2～3カ月後にはパートナーシップ

に絡んだ法令違反の疑いがある76社を特定した。著名なヘッジファンドや大手法律事務所も含むとみられている。

● 家事分担アプリ、使ってみたら新鮮な体験

「私は税金を払ったのに」「あの人の意見は採用されたのに」。多くの不公平感の根っこにあるのは、他者への妬みの感情だ。それを和らげようとする研究もある。

東京大学の五十嵐歩美准教授が取り組むのは、家庭内でけんかの火種となりやすい家事だ。22年に夫婦間の家事の偏りを可視化するアプリ「家事分担コンシェルジュ」を一般社団法人のコード・フォー・ジャパンとつくった。

家事は単純に作業量を二分しても公平感は生まれないという。アプリではそれぞれが得意とする作業を夫婦に振り分ける数理モデルを使って、妬みの少ない分担の実現を目指している。

実際に記者夫婦が使ってみた。「子どもを起こす」「調理する」といった家事をどちらがやるかを決めてアプリに打ち込むと、両者の負担感が円グラフで示された。その家事が好きか嫌いかを登録すると、ストレスが減るよう日々の分担割合を提案してきた。自分たちでは思いつかない新鮮な体験だった。

家事分担を分析して、負担感をグラフで表示する

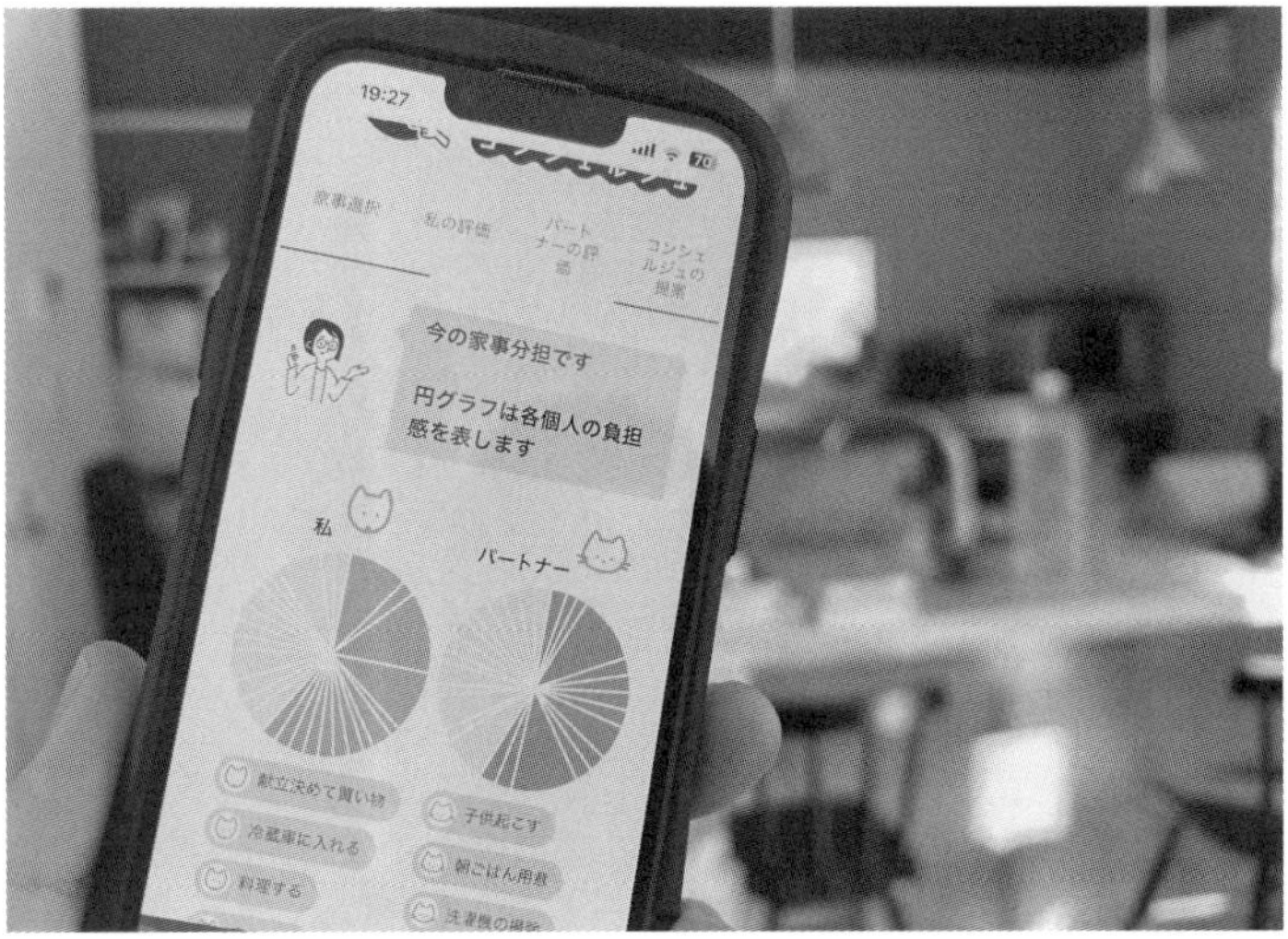

五十嵐氏は「人によって公平感は異なる。完璧は難しいが、納得感を高めるアルゴリズムは追求できる」と話す。テクノロジーで夫婦の感覚を数値化し、双方が折り合える妥協点を探っていく。そんな時代がもう来ている。

3

1日100錠、今日も私は若返る　人類寿命250歳への野望

朝5時の目覚めとともに、人類が背負う宿命との闘いは始まる。食事は午前中のみで、豆類などが中心。1日100錠を超えるサプリメントを飲む。赤外線や赤色光を浴び、肌をきれいに保つ努力も欠かさない。そして自分にこう言い聞かせる。「Don't die（死なない）」

米ロサンゼルスに住むブライアン・ジョンソン氏（46）は、フィンテック企業を8億ドル（約1200億円）で売却して大富豪になった。次に生涯の目標にしたのが「死の超越」だ。

● 年200万ドルかけ体年齢を46歳→18歳へ

年に200万ドルをつぎ込み、自らを実験台に不老不死のプロジェクトを進める。46歳の体を18歳の頃に若返らせようと奮闘中だ。計画は1000本を超える論文や出版物に基

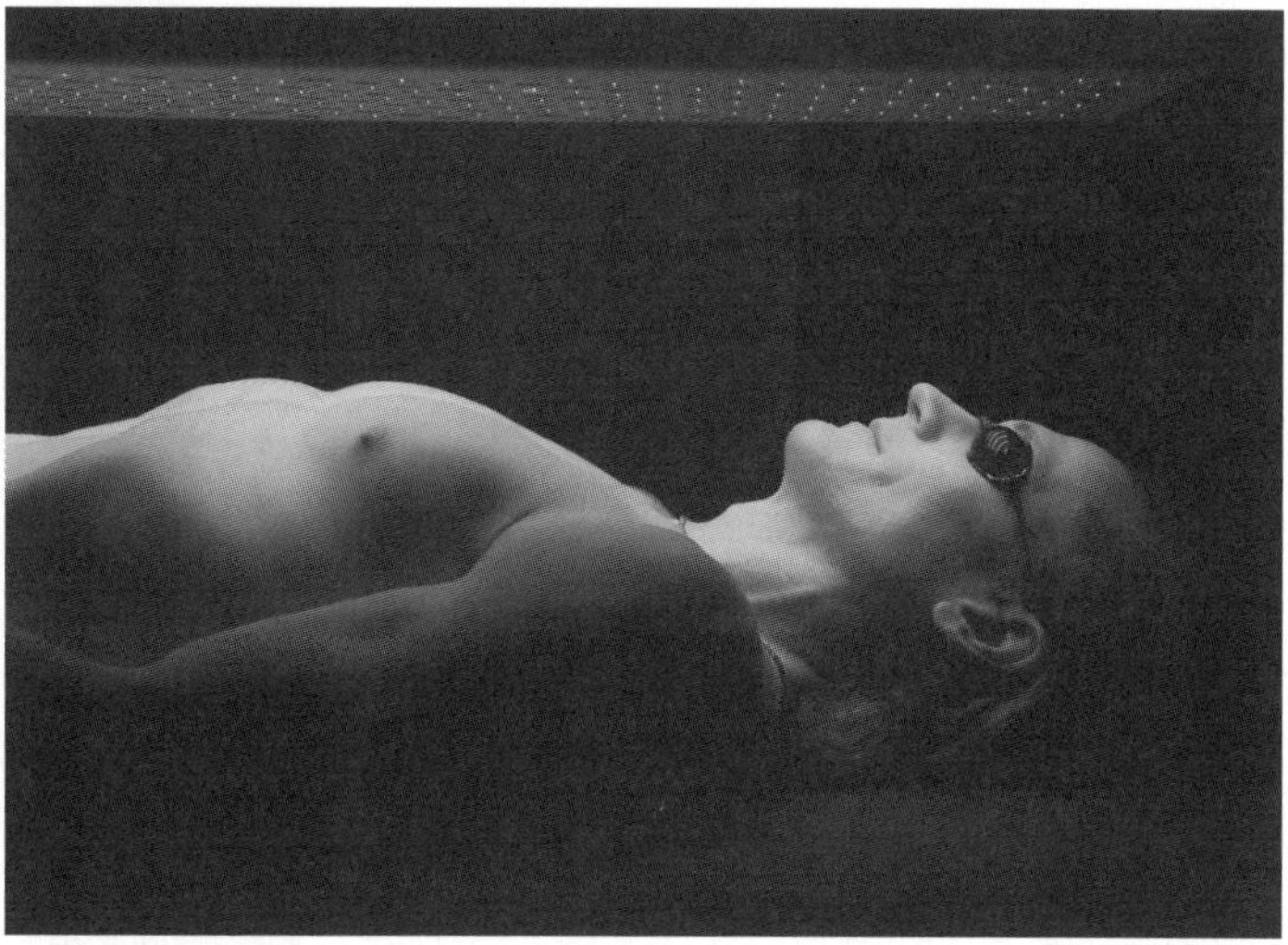

ブライアン・ジョンソン氏は46歳の体を18歳の頃に若返らせることを目指す（米ロサンゼルス）

づき、30人を超える医療チームが支える。常に内臓や血管、皮膚の劣化を検査し「老化を24％遅らせた」。

人類の寿命は19世紀の30歳前後から、医療や衛生環境の向上でその後の１００年間に2倍以上に延びた。健やかな生涯を送りたいという素朴な願望は、20世紀に登場した遺伝子工学をきっかけに、１２０歳程度とされる生物の限界に挑む野望に変わった。

「人類に10億年分の健康を」。英ヒューマニティのアプリはこんな目標を掲げる。スマートウオッチで歩数や心拍、睡眠時間などを測定し、若返りを指南する。50万人分の遺伝情報などをもとに、ＡＩで肉体年齢を推測するアルゴリズムを開発した。

30歳の記者が実際に試してみた。アプリに生活習慣を入力し、スマートウオッチから生体データを取り込むと、算出された肉体年齢は31・3歳だった。

普段ほとんど運動しておらず、睡眠不足も自覚していた。アプリの勧めに従って１万歩以上歩いたり瞑想《めいそう》したりすると、肉体年齢は０・５歳若返った。間食で菓子を食べるのも控え、節制を１週間続けると、老化スピードは「通常」から「スロー」に切り替わった。

●注射でマウスの筋肉若く

日本にも老化にあらがう研究者がいる。慶應義塾大学の早野元詞特任講師は老化の防止薬や遺伝子治療の開発に取り組む。

人間なら70歳前後のマウスに老化防止薬の候補物質を注射すると、筋肉が若返り40歳代並みに活発に動いたという。加齢で筋力が下がる病気や認知症の患者に投薬する臨床試験（治験）を２０２６年にも始める。ゲノム編集技術を使う治験も27年の実施を目指す。

研究室には長寿を望む人から相談が相次ぐ。「人間の寿命は２５０歳以上を目指せる。長い時間がかかる遠い星への移住などの夢もかなえられる」（早野氏）

「魔法の薬」として注目されるのが、糖尿病薬「ＧＬＰ－１受容体作動薬」だ。寿命を10年前後縮めるような深刻な肥満症の治療に応用できるとして、米国を中心に利用が急増す

る。日本でも24年2月に発売されている。

総合診療を手掛ける谷口医院（大阪市）の谷口恭医師のもとには、他院でこの薬を購入した患者の相談が相次ぐ。安易な「やせ薬」のつもりで使用した例が多い。20歳代の女性は確かに食欲は減退したが、買い物や旅行への興味も失った。「何のために生きているのか分からない」と嘆く。

アイスランドでは同種の薬で自殺念慮や自傷行為が約１５０件報告された。欧州医薬品庁は23年12月「現時点では因果関係の結論を出せない」としつつも製薬企業に追加情報を求めた。

テクノロジーは若返りや健康の夢を引き寄せたが、人間の欲望は果てしない。寿命が延びたらあなたは何をしたいですか。

４

人間不在の「イーサリアム」経済圏　アフリカで急成長

ケニアのトウモロコシ農家ポール・キオゴラさんは、長引く干ばつにあえいでいた。「収入が途絶えてしまう」。不安を覚えていたとき、通知音が鳴った。スマートフォンを見ると不作を補償する保険金約１万６０００シリング（約１万７０００円）が振り込まれていた。

キオゴラさんを救ったのは小規模農家向けの農作物保険の審査などを手掛けるエーカー・アフリカだ。衛星データから土壌の水分量などを測定し、不作になりそうだと判定すると申請を待たず保険金を振り込む。

この保険は支払いの判断から入金までを全てアルゴリズムが自動処理している。ベースにあるのはブロックチェーン（分散型台帳）技術だ。「農業保険には農家と代理店の間に根強い不信感があった。だがブロックチェーンを使うことで、公正で透明性の高い仕組みが可能になった」とユアン・ウィラー最高経営責任者（ＣＥＯ）は話す。

ケニアの小規模農家はブロックチェーン技術を使った保険を利用している

○ 先進地はアフリカ

人間の恣意を排除することで、敏速で透明性の高い商取引を可能にするブロックチェーン。暗号資産（仮想通貨）の取引に使うイメージが強いが、今、経済活動の新たなインフラとして急速に進化している。その先進地がアフリカだ。

ナイジェリアの医療機器輸入会社グローバル・メディテック・サービシズは日本の西村医科器械（京都市）から中古の医療機械を輸入している。銀行を通さず、ブロックチェーンで与信する。1万3000キロ離れた見知らぬ同士の取引が、注文から10分で決済した。

歴史をひもとくと、経済活動は常に人間

図表11 ブロックチェーンの成長スピードはビッグテックをはるかにしのぐ

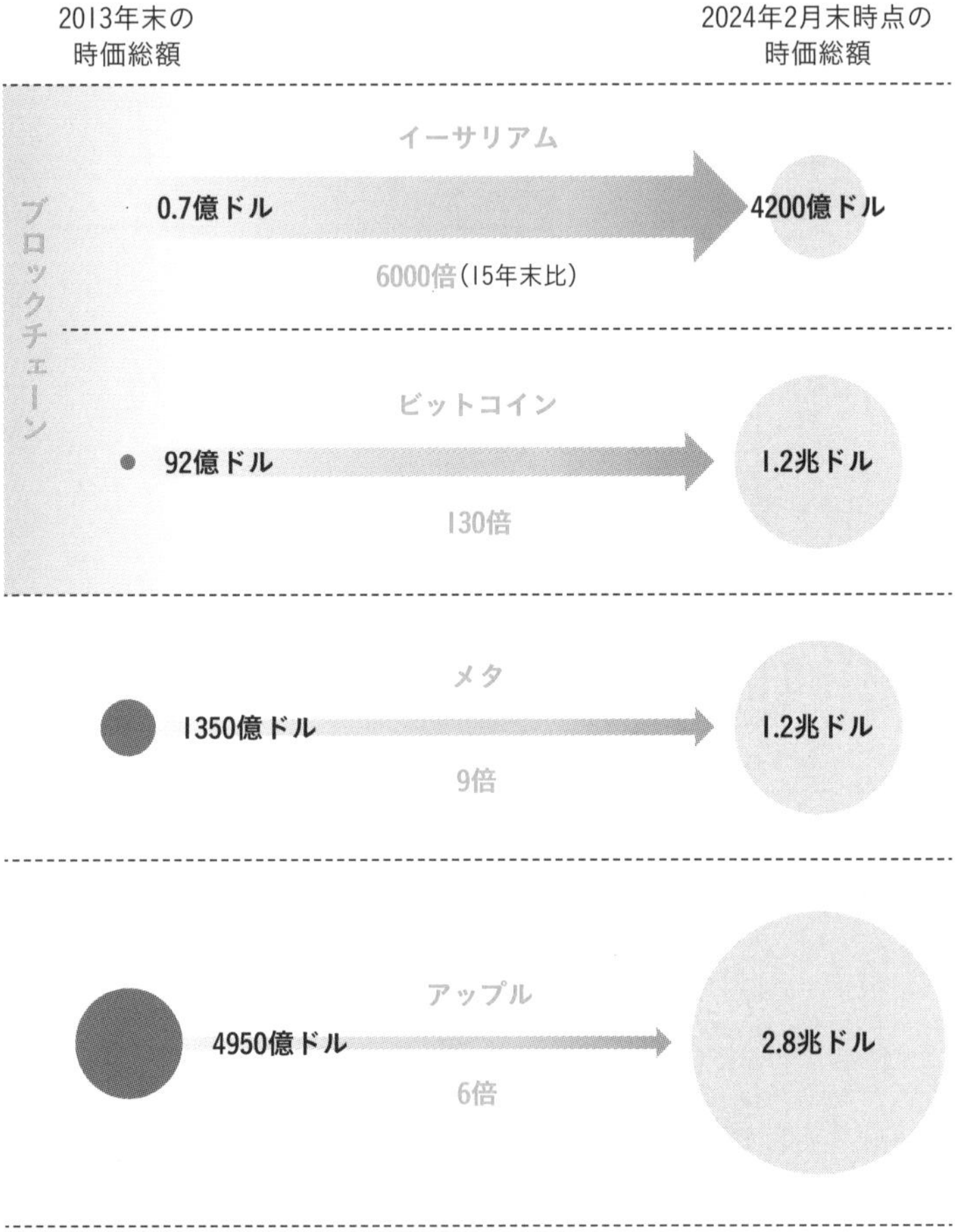

(注)イーサリアムは2013年に開発され、15年に稼働開始した

同士の信用を基盤にしてきた。西回りの交易路を開く航海を計画したコロンブスは当初、費用の調達に苦しんだ。だがスペイン王室が彼を信頼して出資したことで、１４９２年に船出できた。

「だが見たこともない相手を信用できない。テクノロジーが本来の信頼をもたらす」。ブロックチェーンを使った自動化プラットフォーム、イーサリアムの共同創設者であるギャビン・ウッド氏はそう言い切る。

２０１３年、当時19歳の若き技術オタク、ビタリック・ブテリン氏と共同でイーサリアムをつくった。誰にも変更や改ざんができないネット上の台帳に刻々と商取引データが記録されていく仕組みだ。精緻なシステムはすでに彼ら開発者の手を離れ、自律的に作動を続けている。

ビッグテックへの対抗軸

アフリカ諸国がイーサリアムの利用に積極的なのは、「信用コストゼロ社会」が経済発展を後押しすると期待するからだ。

ケニアに拠点を持つコタニペイは公的な身元証明や銀行口座を持たない人々に決済手段を提供する。すでにケニアやガーナの７０００人が利用している。

アフリカでは就労者の多くが非公式な経済活動に従事しているとされる。新たな決済手段の提供はよるべない人々を包摂し、経済発展の力に糾合できる。

ブロックチェーンの経済圏（仮想通貨全体の時価総額）は約2・3兆ドル（345兆円）の規模に成長した。ビッグテックが情報と資金を寡占する既存のネット経済圏への対抗軸となりうる。

完全無欠ではない。16年にはイーサリアムのシステムが攻撃され、当時の価値で約65億円が流出した。その後もハッキングなど様々な混乱が生じている。

「（開発者である）私がもっと責任を持つべきだったのだろうか」。ブテリン氏は迷いの言葉を漏らす。人間不在だから安心という新しい経済原理は直感に反する。何に信を置くべきか、その答えを私たちはまだ手にしてはいない。

5

スマホ一つで変えた環境規制「あなたも政府を動かせる」

「まだ咲かないな」。オーストラリア南部メルボルン在住のマック・ヘンウィックさん（76）は豪固有種グラスツリーの前で足を止めた。最近は湿った気候が続き、花が咲く様子はない。

マックさんはスマートフォンを取り出して撮影すると詳しい情報を打ち込む。気候変動による生態系変化を監視するアプリ「クライメートウオッチ」にはマックさんのような3万5000人の市民科学者が参加する。豪気象局やメルボルン大学と連携し、植物や鳥類など181種を記録している。

花の早咲き、鳥の南下。生態系のわずかな変化は、少数の科学者だけでは見逃してしまう。スマホで集めた約25万件の記録は300近い学術論文に貢献した。「孫や将来世代のために役に立つデータを残したい」とマックさんは話す。

クライメートウオッチのフィオナ・サットン・ウィルソン最高経営責任者（CEO）は

「アプリがなければここまで『人の力』を集めるのは難しかった」と語る。非専門家が貢献するシチズンサイエンス（市民科学）がアカデミーを変える。

古代ギリシャのアテネで花開いた民主主義は、市民全員が政治に携わる直接民主制から、議会を介した間接民主制に発展した。その先の姿は、すくい切れない民意をテクノロジーで補う「デジタル民主主義」かもしれない。

「プラスチックごみが海にあふれている」。高校生だった台湾北部桃園市の王宣茹さん（23）は授業で政府の政策提言プラットフォーム「ジョイン」を知り、提案を書き込んだ。

教室のごみ箱は使い捨ての容器でいっ

グラスツリーの開花は山火事の発生と密接な関係がある（24年2月、メルボルン）

ぱい。細かく粉砕されたマイクロプラスチックが海の生態系を悪化させ、地球規模の問題になっている。使い捨て容器廃止を訴える王さんの提案は、１カ月で賛成５千人を集めた。

夏休みに関係省庁や容器業界などの会議に呼ばれ、提案から３カ月後には当局が段階的規制を表明した。「年齢に関係なく政府に声を伝え、回答を得られる」（王さん）

ジョインの登場は２０１５年。中国と経済連携を強引に進めた馬英九政権に反発した「ひまわり学生運動」の翌年だ。「多くの人が政権に不信感を強めるなかで生まれた」と当時の担当閣僚、蔡玉玲（ジャクリーン・ツァイ）氏は話す。

台湾籍や在留資格があれば誰でもオンラインで政策を提案できる。60日以内に５０００人以上の賛同を得た提案には、当局が回答する。24年２月までに約９０００件の提案が寄せられ、同性婚や「ウーバー」合法化など１６１件が実際に採択された。「公開の場で議論して合意点を探り、納得してもらうための仕組みだ」（蔡氏）

デジタル民主主義を小さな自治体も導入したい。そんな願いに応えたのが欧州随一のスマートシティー、バルセロナの市民ハッカーが16年に開発した住民参加型プラットフォーム「デシディム（我々で決める）」だ。

技術仕様を開示するオープンソース型で、細やかな民意の集約を助ける。今や世界30カ

国、約４５０組織が利用する。運営団体の代表ニル・ホメデス氏は「テックによる行政参加は都市の未来を市民が形づくる変革力を示す」と語る。

デシディムを導入したフィンランドの首都ヘルシンキでは、12歳以上の市民は誰でもまちづくりの企画を提案、投票できる。図書館への３Ｄプリンター設置、太陽光発電の小型フェリー運航、小中学生向けロボット教室などが実現した。

小さな市民の声もテクノロジーで集めれば大きな流れになる。あなたも世界を変えられる。

インタビュー

トロント大学名誉教授　ジェフリー・ヒントン氏

人知超すＡＩは人を操る
「ゴッドファーザー」が語る脅威

ヒントン氏はトロント大学のキャンパスに近い住宅街に暮らす
＝田中克佳撮影

英ケンブリッジ大学で実験心理学を学び、１９７８年に英エディンバラ大学でＡＩの博士号を取得した。約半世紀にわたって世界のＡＩ研究をけん引し、教え子の多くが最先端の生成ＡＩの開発を担っている。２０１３年から23年まで米グーグルに所属した。

人工知能（ＡＩ）が驚異的な速さで進化を続けている。あらゆる分野で人類の知能を上回る時代が訪れたとき、世界はどう変わるのか。「ＡＩ研究のゴッドファーザー」として知られるトロント大学のジェフリー・ヒントン名誉教授がカナダにある自宅で取材に応じ、ＡＩと人類の未来を語った。

――ＡＩ開発の重職にありながら、約10年勤めたグーグルを突如として辞めたのはなぜですか。

「引退し、自分が信じることを自由に発信したかったためだ。上司だったチーフサイエンティストのジェフ・ディーン氏には、２０２３年４月に相談した。ＡＩが人類存続の危機をもたらす恐れがあると伝えた」

「彼は『グーグルに残ってＡＩの安全対策に取り組んではどうか』と引き留めようとした。私は彼をとても尊敬しているが、慰留の提案を断った。明確に制限されなかったとしても、グーグルに所属していたら会社の利害を考えて発言せざるをえない」

○ 兵器ロボ登場は10年以内

――なぜＡＩが人類を脅かす可能性があると思うのですか。

「ＡＩに目標を与えた場合に、解決策として人間に不都合な方法を見つけ出すかもしれないためだ。例えばＡＩに気候変動を止めるよう指示したとする。ＡＩが目的を達成するために人間を排除することが必要だと気付き、実行に移すリスクを懸念している」

「これからは異なるＡＩが競い合う局面も生じうる。例えばＡＩの間でデータセンターなどの資源の奪い合いが起きれば、それは生物と同様に進化を促すプロセスになる。競争を経てさらに賢くなるＡＩに人類は取り残されてしまう」

「多くの人が、ＡＩの暴走を防ぐには電源スイッチを切ればいいだけではないかと主張する。だが、人知を超えたＡＩは言葉によって我々を操れる。スイッチを切るべきではないと説得しようとするだろう」

――教え子で米オープンＡＩ共同創業者のイリヤ・サツキバー氏は23年11月に同社のサム・アルトマン最高経営責任者（ＣＥＯ）の解任を試みて失敗しました。やはりＡＩが人類の脅威になるという危機感が動機だったと報じられています。

「イリヤはＡＩの危険性を非常に心配している。オープンＡＩはＡＩの安全性を重視する非営利団体が、営利企業を統治する構造を採用している。そうした組織でさえ、今回の件ではＡＩが生み出す利益が安全性よりも優先されたと受け止めている」

「以前は私たちは2人ともデジタルの知能は人間ほど優れておらず、言語や複雑な物事を理解するのはずっと先になるだろうと考えていた。イリヤが先に考えを変えたが、私はすぐには同意しなかった。今では彼が正しかったと思う」

――国連は高度なＡＩの軍事転用について規制を見据えた緊急の対応を決議しました。

「今後10年以内に自律的に人間を殺すロボット兵器が登場するとみている。第1次世界大戦で惨禍を招いた化学兵器は後の国際的な合意によって禁止された。ロボット兵器もいず

れ規制できるだろう。だが、それが実現するのは実際に戦場で使われてみて、人類が悲惨さを認識した後になるかもしれない」

「私たちは誰もＡＩに支配される未来を望んでいない。その事実が、各国がＡＩ兵器の規制に向けて足並みをそろえる土台になる。核戦争と同じだ。全ての国にとって明らかに害悪でしかなかったことで、米国と旧ソ連は冷戦のさなかに核戦争を回避することに合意できた」

――オープンＡＩが開発した「Ｃｈａｔ（チャット）ＧＰＴ」をはじめとする対話型ＡＩは、人間の言葉を理解しているのでしょうか。

「生成ＡＩの基盤である大規模言語モデルは、我々と同じように言葉を理解していると思う。私は１９８５年に最初の言語モデルをつくった。脳が言葉をどのように理解しているかを模倣して設計した。ＡＩが言葉を理解していないという人々の大半は、人間がどう理解しているかという理論を持っていない」

――以前は「AIが言葉を理解しているように振る舞って見えたとしても、実際には理解していない」と主張していたはずではありませんか。

「私はAIがジョークを理解できるかを判断の基準にしてきた。グーグルが開発した大規模言語モデル『PaLM（パーム）』を使ったチャットボット（自動応答システム）に、22年にいくつかのジョークを説明してくれと頼んだ。チャットボットはジョークがなぜ面白いかを理解し、全て説明することができた」

○内面に感覚宿す可能性も

――AIの研究を通じて、人間に対する理解も変わったのではないでしょうか。

「脳を模倣した知性が人工的につくれたことで、多くの発見があった。哲学者の間では人間には言語を使う機能が生まれつき備わっているという主張もあるが、それは全くのナンセンスだ。言語は生まれた後に学習する後天的なものだと考えている」

「私は50年もの間、ＡＩを人間の脳に近づけようとして開発を重ねてきた。脳の方が機能的に優れていると信じていたからだ。だが23年に考えを改めた」

「人間が知識を共有するには非常に時間がかかるし、我々は死を免れることができない。一方でデジタルの世界では全てを『０』と『１』に分けて記録する。特定のハードウエアに依存せず、データを瞬時にコピーして全く同じプログラムを実行できる」

「現在の対話型ＡＩは人間の脳の１００分の１の規模でも数千倍の知識がある。おそらく大規模言語モデルは脳よりも効率的に学習できる」

――ＡＩは知性だけでなく、感覚まで持つようになるのでしょうか。

「主観的な経験という観点から説明すると、ＡＩは人間と同じような感覚を持てると考えている」

「人間は客観的な事実とは異なる出来事も経験している。例えば私が大量の酒を飲み、朝

起きると目の前に幻覚によってピンクの子ゾウが見えたとしよう。私は子ゾウの存在を信じようとはせず、自分の知覚システムが正しく機能しなかったために内面だけの経験をしたと思うだろう」

「カメラで視覚情報を集めるＡＩにおいても、同じ状況がつくり出せる。例えばカメラの前に物体を置き、プリズムで光を曲げて遠くにあるように錯覚させてみたとする。対話型ＡＩがプリズムのせいで知覚システムが正しく機能していないと説明したら、これは人間と同じような感覚を持っているといえる」

――チューリング賞を共同で受賞した米ニューヨーク大学のヤン・ルカン教授は、ＡＩに意識や感覚が宿る可能性を否定しています。

「彼は今も友人だが、意見は異なる。おそらく彼は、ＡＩには主観的な経験がないと思っているのだろう。多くの人は主観的な経験が人間に固有のものだとみなして、ＡＩは世界を理解していないと考えている。それは間違いだ」

インタビュー

ウィキペディア創設者　ジミー・ウェールズ氏

「いいね！」は求めない
有志の力で真実広める

ウェールズ氏は既存のSNSに危機感を持つ

米アラバマ大学で金融学の修士号を取得。先物・オプション取引の会社を経て、インターネット業界に転じ、２００１年に「ウィキペディア」を創設した。現在はウィキメディア財団の理事会メンバー。06年に米誌タイムで「世界で最も影響力のある１００人」に選ばれた。

ＳＮＳ上にまん延する偽情報が詐欺や世論誘導などの弊害を招いている。本物そっくりの映像や音声をつくる生成ＡＩ（人工知能）の登場で真偽は一段と見分けにくくなった。２００１年にウェブ百科事典「ウィキペディア」を立ち上げ、偏りの少ない情報源の構築に挑んできたジミー・ウェールズ氏に、インターネット空間の信頼性を高める方策を聞いた。

――01年の創設時、多様なバックグラウンドを持つ人々の知識や知恵を集めれば情報の信頼性を高められるというアイデアはどのように思いついたのですか。

「私が注目したのはフリーソフトの拡大といううねりだった。ソースコード（設計図）を誰もが利用できる状態で公開し、世界中のプログラマーが無償で改良を加える『オープンソース』の開発手法が広がっていた」

「こうした協力の枠組みはソフトの開発だけでなく、あらゆる種類の文化的な営みに拡大できるのではないかと気づいた。このひらめきが、不特定多数が編集に参加する無料のウェブ百科事典という構想につながった」

「ウィキペディアの前身のサービスはトップダウン型でコンテンツを作成していたが、うまくいかなかった。そこで試したのが複数人が共同で編集作業ができる『ウィキ』と呼ぶツールだ。今振り返ってもエキサイティングな試みだったと思う。多くのボランティアがウェブ百科事典の構想に情熱を傾けてくれた」

――記事の編集に参加しているのはどんな人々ですか。

「『インスタグラム』などの大手SNS上で活動し、人々の考え方や消費行動に影響を与えるインフルエンサーに比べると、ウィキペディアのボランティアはごく普通の物静かな人々だ」

「彼らの目的は有名になることでも、自らの意見を世界に発信することでもない。自らが情熱を注いでいることについて学び、ウィキペディアを通じて正しい情報を得ようとする読者と出会うことを楽しんでいる」

「もちろん、ネットにはトラブルメーカーや荒らしがつきものだ。だからマナーを守らない人々を適切に排除する手段が必要になる。毎年、世界各地の異なる都市で会議を開き、コミュニティーを健全に保つ取り組みを話し合っている」

――運営費用は寄付に頼っており、経済的な基盤は万全とはいえません。なぜそのやり方がうまくいったのでしょうか。

「読者が求めているのは『事実を端的に伝えてほしい』ということだ。だからウィキペディアはクリック数を稼ぐために扇情的なタイトルを付けることをしない。ＳＮＳのように『いいね！』を獲得し、情報をシェアしてもらうことを動機にしていない。もし広告に収益を依存していたら、クリック目当ての中毒性の高いサービスになっていただろう」

「ウィキペディアは資金を読者からの寄付で賄う非営利のウィキメディア財団が運営している。ほとんどの活動はボランティアによって行われているが、非常にうまく機能している。大事なのは寄付を募るバナーをウェブサイト内に表示した際に、多くの読者に『応援したい』『私の生活にとって意義がある』と感じてもらうことだ」

「財政的に小さな組織であることは確かだ。世界で最も有名なウェブサイトのひとつでありながら、我々の資金やスタッフの数は他の大手のサイトと比べれば微々たるものだ。常に資金の使い方に注意し、正しい運営方法を真剣に考えなければならない」

――誰もが自由に記事を編集できるウィキペディアでは、偽情報とどう闘ってきたのですか。

「発足当初から誤った情報を書き込む人はいた。十分な知識がないまま情報源を示さず、思いつくままに書かれた記事もあった。悪意による場合もあっただろうし、冗談でウソを書き込んでしまったケースもあっただろう。こうしたことは20年以上前から経験しており、今に始まったことではない」

「記事の執筆や編集の過程でエラーやミスが生じるのは避けられない。ウィキペディアのような開かれた編集モデルにとって重要なのは、参加者の手で情報を修正するという発想だ。大勢がチェックを重ねることで情報の誤りを正していくことができる」

「これは情報の真偽よりも、扇情的でシェアされやすいことが重要なSNSとは大きく異なる。SNSでは検証されないままに虚偽の情報が拡散してきた」

「例えば『X（旧ツイッター）』はサービスの設計上、利用者が投稿内容を直接修正することができない。私は自分のスマートフォンでXのアプリを使うのをやめた。依存性が高すぎると感じたからだ。我々は心の健康に良くないメディアに触れることには注意すべきだと思う」

――生成AIの急速な進化をどうみますか。

「まず驚くべき技術的ブレークスルーだと言わなければならない。ウィキペディアの運営においてどう役に立つのか、どうすればこのテクノロジーの価値を引き出せるかに注目している」

「記事編集のスピードを高める提案をしてくれるのであれば、その質が完璧でなくても構

わない。例えばウィキペディアを定期的にスキャンして、誤りや偏りを含む可能性のある記事を探して注意喚起するといった使い方が考えられる」

――生成ＡＩの学習にウィキペディアの情報が使われたことをどう感じていますか。

「ウィキペディアの基本的な考え方はオープンソースのソフトと同じでライセンスフリーであることだ。だから誰にでもコピーしたり修正したりする権利があり、商用であっても無料で利用できる。ウィキペディアを用いてＡＩを学習させる方が、他のＳＮＳを使うよりも理にかなっている」

「ただし、我々の記事が生成ＡＩに使われた場合には、出力するコンテンツに引用元を明記するよう求めている。リンクを経由してウィキペディアにたどり着けるようにすることで、ＡＩが得た知識がどの情報源に由来するのかを把握できるためだ」

――ＡＩが偽情報の生成に悪用される可能性もあります。

「その懸念は間違いなく現実になりつつある。生成ＡＩは単に精巧な偽画像をつくり、ウイルスのように拡散するだけではない。より恐ろしいのは、特定の人物を標的として情報を届ける能力を持つことだ」

「あなたの母親の過去のＳＮＳ投稿をすべて読み込み、それに基づいて効果的な政治的メッセージをつくりあげることだって可能だ。ＡＩがこうした目的で大規模に使われることを心配している」

インタビュー

台湾元デジタル担当相　蔡玉玲氏

台湾でデジタルの担当閣僚を務めた蔡玉玲氏

ライドシェアも円満解決
ネット討議、台湾仕掛け人に聞く

1977年台湾大学法学部卒、弁護士。地方裁判所の裁判官を務めた後、法律事務所を設立。2013年から16年までデジタル担当の閣僚に就いた。蔡英文（ツァイ・インウェン）政権に唐鳳（オードリー・タン）氏の起用を勧めた。

台湾は市民が政策をインターネットで提案・議論する「デジタル民主主義」先進国だ。2015年に政策提言プラットフォーム「ジョイン」と、オンラインで政策や法案を討論する「vTaiwan」の運用を開始した。当時、担当閣僚として両制度の導入に取り組んだ弁護士の蔡玉玲（ジャクリーン・ツァイ）氏に話を聞いた。

――ジョインはどんな仕組みですか。

「市民の提案や疑問が60日以内に5000人以上の賛同を得ると、政府が正式に回答する義務を負う。市民権か永住権の保持者であれば提案にも賛否表明にも参加できる」

――これまでにどんな政策が実現しましたか。

「一般ドライバーが有償で顧客を送迎するライドシェアの是非を巡り、行政機関の担当部局やライドシェア事業者、タクシー会社など利害関係者がvTaiwanで議論した」

「中身は全て公開される透明性の高い場なので、公平性やバランスを欠く意見はすぐに分

かる。その結果、タクシー配車アプリウーバーのタクシー事業への参入を条件付きで認めることが決まり、円満な解決につながった」

――プラットフォームを通じて市民の意見を募る意義は何ですか。

「２０１４年に（国民党の馬英九政権が中国大陸との経済関係を深めようとして学生らが猛反対した）ひまわり学生運動が起きた。多くの人が政権に不信感を強める状況で**vTaiwan**の仕組みが生まれた」

「市民が地元の立法委員（国会議員）に政策を提言しても、関心を持ってもらえなければ実現できない。行政機関に陳情してもこれまでの政策の方向性と異なれば、なかなか取り上げてもらえないだろう」

――日本では行政がネットで市民から意見を募る試みは草の根レベルまでは浸透していません。台湾で普及したのはなぜですか。

「プラットフォームで一番大事なのは信頼性だ。みんなで法案や政策を議論するvTaiwanでは行政機関があらゆる資料を提供し、誰でも閲覧できるようにしている。公開の場で透明性の高い議論が保証されている。もちろん若者から高齢者まで使いやすいことも大事だ」

「ジョインは簡単な手続きで署名活動に参加できる。いつでも、どこでも、誰でも参加でき、合意点は政策として実現性が高まる。成果を出せばさらに利用は活発になる」

「一方で必要な行政資料が公開されなかったり、当局が提案をたなざらしにしたりすることがあれば、人々の心は離れ、せっかくのプラットフォームも廃れてしまうだろう」

――ネットの議論で市民の意見の隔たりがあらわになり、社会の分断を引き起こす懸念はないですか。

「民主的な社会では異なる意見が存在するのが正常な状態だ。いろいろな意見を集めてみんなで公開の場で議論して、合意点を探り、納得してもらうための仕組みがプラットフォームの本質だ」

「プラットフォームは参加者を排除しない。誰でも参加でき、他の人がどんな意見を述べたのかも見ることができる。そのうえで決めていくので誤解や不満は生じにくい。多くの国にある公聴会は本当に名前の通り広く開かれている場といえるだろうか。出席者が一部の利害関係者に偏っているケースもあるのではないか」

――24年1月の台湾総統選と同時に実施された立法委員選で、与党・民主進歩党（民進党）は少数与党に転落しました。プラットフォームが果たすべき役割は何ですか。

「ジョインやvTaiwanは両岸（中台）関係や選挙制度のように政治性の高いテーマにはなじまない。一方で、経済や産業、生活に身近な問題では幅広い合意形成の役に立つ。時代に合わなくなった制度はないか、補助金の使い方は適切かなどの政策論議を深めて素早く実行していくうえでとても有用だ」

インタビュー

アラヤCEO　金井良太氏

AIに「好奇心」宿る日
人工意識開発者が語る未来

アラヤの金井良太CEOは
「大規模言語モデルに意識が宿ることもありうる」と話す

京都大学理学部卒。オランダのユトレヒト大学で実験心理学の博士号取得。米カリフォルニア工科大学などを経て、英サセックス大学准教授（認知神経科学）。脳構造画像の解析で世界をリードする。2013年にアラヤを設立。著書に『AIに意識は生まれるか』。

「Ｃｈａｔ（チャット）ＧＰＴ」をはじめとする生成ＡＩ（人工知能）の進化が著しい。巧みに言葉を操るＡＩは、あたかも人間と話しているかのように感じさせる。ＡＩに意識が宿る可能性はあるのか。英サセックス大学の元准教授で「人工意識」について研究する日本のＡＩスタートアップ、アラヤ（東京・千代田）の金井良太最高経営責任者（ＣＥＯ）に聞いた。

――生成ＡＩの基盤である「大規模言語モデル」が意識を持つ可能性はありますか。

「意識の有無は間接的にしか分からない。ＡＩに意識があることを証明するのは難しいが、同様に意識がないことも立証できない。ひょっとするとすでに意識があるかもしれないとも感じる。ＡＩの意識が我々人間の意識とは違うものだから、想像できないだけとも考えられる」

「何らかの条件を満たしていればどんなものでも意識を持ちうるという『パンサイキズム（汎心論）』という考え方がある。例えば、細胞1個にも意識があるという発想だ」

「細胞にも意識が宿るのであれば、大規模言語モデルが意識を持ってもおかしくはない。ただし、今のところはＡＩがどうすれば感情や痛みなどの感覚を持つのかは見当がつかない。入力された情報に対して、何らかの出力をするというだけだと、我々にとっては想像しづらい意識ということになる」

○報酬設定すれば、自ら情報収集

――チャットＧＰＴのような対話型ＡＩは基本的に人間の呼びかけには答えますが、自発的に話をし始めることはありません。ＡＩが主体性を持つことはありうるのでしょうか。

「自律性や自発性は重要な要素だ。ＡＩに自発性を埋め込む方法は『強化学習』と呼ばれ、すでに様々なＡＩの開発に用いられている。ＡＩに何らかの情報を処理させ、内容に応じて報酬を与えることで、報酬を最大化するやり方を学習させる手法だ」

「この手法によって情報を得ること自体を報酬に設定すると、ＡＩが自ら情報を求めて動

き始めることが多くの研究によって知られている。ＡＩに好奇心を身につけさせるイメージに近い」

――人間が知的欲求を満たすことで達成感を得るのに似ていますね。

「そうともいえる。新しい情報にはある種の驚きがある。未来を予測し、その予測が裏切られたときに得られるものだ。こうした驚きが『意外なことを知りたい』という動機につながる」

「人間は新しい建物を訪れると、うろうろしてトイレの位置などを把握しようとする。これも一種の好奇心だ。直接的な利益を得ることはないが、脳内にはその建物の地図ができる。つまり、知識を得ている。こうして獲得する知識が報酬となるように設計すれば、自ら知的になっていくＡＩをつくることができる」

「ＡＩの開発では『エンパワーメント』という学習の手法もある。人間が将来のために勉強をしたり、お金をためたりするのと同様に、ＡＩにいろいろなことをできるように備え

させるという学習の方法だ」

――ＡＩが未来を予測して考えるわけですね。

「『もし明日が雨だったら』といった具合に、目の前の現実とは異なる世界を想像することを『反実仮想』と呼ぶ。壁にボタンがあったとして、押したらどうなるかを考えるといった状況だ」

「反実仮想ができると『現時点では答えが分からない』ということが認識できる。『無知の知』のような状態だ。自分が知らないことは何であるかを認識することで、新しい情報を得るために何をしたらよいかが分かるようになる。反実仮想と好奇心は密接につながっている」

○ ＡＩが世界滅ぼす可能性は低い

――現実とは異なる世界を想像できるのだとすると、ＡＩが意識を持っているとい

ってもおかしくないように感じます。

「反実仮想では『未来の状況を生成している』ともいえる。生成することと、意識を持つことの関係は深そうだ。人間も五感を通じて得た情報を脳内で再構成している可能性があるためだ。生成するというプロセスが、意識を生み出すのに関わっているとすれば、大規模言語モデルも一部に意識が宿ることがありうるのではないかと考えている」

――現在のＡＩは人間と異なり、身体を持ちません。このことが人間とＡＩの意識の違いにつながる可能性はありますか。

「身体がなくても意識を持つことはありうるが、その意識がどういうものなのか我々には想像しづらい。大規模言語モデルのように文字のデータだけをひたすら学習したＡＩの意識を想像するのは難しい。一方で画像を認識するＡＩは我々がものを見ているのと感覚的に近い部分がある。そちらの方がイメージはしやすい」

――自発性などを持つＡＩが人類に脅威をもたらすという主張をどう受け止めます

か。

「難しい問題だ。個人的にはＡＩが悪い意思をもって世界を滅ぼすといった可能性は低いと考えている。一方で、人間が悪意をもってＡＩを用いたときに、社会のシステムが対応できないという事態は現実味がある。長期的に見て圧倒的に優れたＡＩが登場する可能性があり、それがどんな振る舞いをするか分からないというのも事実だ」

――ＡＩが人間の価値観や倫理観に沿って適切に行動するように設定する「ＡＩアライメント」の重要性が高まっています。

「人間が思った通りの動作をさせるにはどうしたらよいかを見いだすのがＡＩアライメントの具体的なテーマだ。大規模言語モデルなどを何らかの重要な判断に組み込んだときに、その正しさをどう評価するか。判断を委ねても安全なのかを考えることは重要だ」

コラボ小説

「長い豚の話」

円城塔

えんじょう・とう

１９７２年北海道生まれ。東京大学大学院総合文化研究科博士課程修了。著書に『道化師の蝶』（芥川賞）、『文字渦』（川端康成文学賞、日本ＳＦ大賞）『Self-Reference ENGINE』（フィリップ・Ｋ・ディック賞特別賞）、『ゴジラＳ・Ｐ〈シンギュラポイント〉』など。

1

夏、北極航路がひらける間、アキツは晴れの休日となると車を飛ばして浜へと出かけ、貨物船の姿を眺めていた。

人は、氷と一緒に姿を消した北極熊のなわばりに、新たな都市をつくりはじめた。南極大陸には花が咲いたという話だが、北極にはもともと海しかない。

「上は大水、下は大火事、なーんだ」

夕食の乗るテーブルの向こう側から、娘がナゾをかけてくる。

街にはまだ大規模な養殖場がなかったから、アキツたちは主に天然の魚を食べる。野菜は陸揚げされて埠頭に積み上げられている水耕ユニットから自分たちでとってくる。サイズとして

は規格どおりの海上コンテナであり、持ち運ぶ間も野菜が育つ。

北極圏への移民（＊一）には、分子生物学系のエンジニアとして応募した。友人たちの多くは北海道への移住を選んだが、アキツは思い切ってみることにした。学生だった頃に比べて倍率は跳ね上がっていたものの、幸い光合成と太陽電池をつなぐ研究への貢献が認められた。

日本は多重国籍を認めないので、日本人ではなくなっている。この土地で生まれた娘の名は、アルファベットでヤマトとした。漢字は特に決めないままだ。

多国籍の人々がつくった街だ。初対面の相手には誰もが英語で話しかける。ヤマトは流暢な英語とややぎこちない日本語を話す。スペイン語と中国語の音を拾える。日本語は主に、コミックとアニメーションとゲームから情報を得るために利用している。翻訳ものでは細かなニュアンスが異なるそうで、なんならそうしたコンテンツの翻訳者になろうかなと言う。最後の仕上げの部分は人工知能が入り込めない分野でしょということらしい。

娘はいつの間にやら日本在住の友人をつくり、向こうの時間に合わせつつ定期的にチャットしている。大抵は画面ごしに話しているが、ＶＲゴーグルを持ち出してきて、菓子袋を手に自室にこもることもある。学校生活について情報を交換している。日本産のコミックの中の不思議な生活習慣などを質問する。

アキツの同僚などに言わせると、「日本文化として残るのはマリオとキティになるだろう」ということなのだが、マリオは多分イタリア系なのだろうし、キティは猫ではないかとアキツは思う。

「キティは猫じゃない。二本の足で歩くキャラクターだ」と同僚が律義に訂正してくる。同僚もまた北極圏の住人だが、実はまだ直接会ったことはないのだと、アキツはしばらく気がつかない。なんとなく相手が日本語を話しているように思っているが、それは通訳ＡＩを通じた人工音声なのであり、相手の声をうまい具合に模倣している。

やがて人工肉の生産プラント落成パーティの場で直接対面したとき、二人は相手が自分の操る母語を全く解さないことに改めて驚くことになる。はじめて聞いた相手の英語は、ヤマトの操る日本語を連想させる。これまで相手に抱いてきた好意の質が変わったことにアキツは驚く。そうして、相手がちゃんと立体として存在していることに感動する。同時に、ちょっと情報量が多すぎて押しつけがましいなとも感じる。

編注 ＊1　北極圏への移民　気候変動による砂漠化や海面上昇で、地球上に人類が安心して暮らせる場所は減ってゆく。日本経済新聞連載「テクノ新世」では、島国モルディブの全人口50万人が「気候難民」となる前に移住計画を進める水上都市を取り上げた。国境を越え、適切な場所への移住を進められるかも焦点だ。

ヤマトが日本の友人たちから得ようとしているのは、こうした強い実感なのではないか。やっぱり一度、実際に日本に連れていく必要があるのではと思う。祖父母にも直接会わせておくべきなのだ。

相手と握手をかわしつつ、アキツはそんなことを考えている。相手は、通りがかった係員のトレーからグラスを二つとりあげ、一方をアキツへ渡す。

「こうして実際に会うとなかなか、仕事にはなりそうもないですね」

現実の空間では横にすぐさまデータを呼び出すことも、分子模型を浮かべて回転させることもできない。旧知の相手がどんどん初見の人物に、見知らぬ人間に見えてきて、アキツの心はむしろときめく。

配偶子バンク[(＊2)]のことが頭に浮かぶが、ヤマトのもう一人の遺伝上の親については思い出すことがない。

アキツは自分の仕事が生み出すことになるカロリーと、こどもが一人成人するまでのカロリーを無意識的に計算している。地球上の全員が天寿を全うするまでに必要なカロリーを概算しようとする。今この場で、計算機の支援が欲しいなと、相手の瞳をのぞきこみつつ思う。画面の中で見ていたよりもはるかに大きく、若く見える。アキツは娘が持ち帰ってきたナゾを口にしてみる。

「地球」

相手は躊躇わずにそう答える。今は赤道地域を熱波が覆い、他の地域は大規模な風水害に見舞われ続けている時代だ。

「むかしは、お風呂だったんだよ」

と笑うアキツに相手は心底不思議そうな顔を向けている。

2

母親が仕事で遅い日の夕食はどうしてもてきとうになる。

ヤマトは冷蔵庫の扉を開けて、豚肉と芋のツルを取り出す。

豚肉は縦横奥行きが定められたブロック型の規格品の方ではなくて、形を整えるために切り落とされた部分を母親が山のようにもらってくる。

母親は、新しい光合成機構を植物に組み込む研究に打ち込んでいる。説明によると、

＊2　配偶子バンク　精子や卵子を保管する施設。「テクノ新世」では受精卵の核を別の卵子に移植することで親が3人いる子が誕生した英国の事例を挙げた。中国で2匹のオスのマウスから子が生まれるなど、同性間や単身者でも子を作れる技術開発が進み、人の倫理観や家族観に大きな問いを投げかけている。

「葉っぱが太陽電池になっている感じ」らしい。空中の二酸化炭素を効率よく取り込み、エネルギーに転換するという目論みであり、「勝手に増えていってくれるのがいい」とのことだ。母親はサツマイモに可能性を見出していて、ツルもまた、いつもだぶついている。ツルそのものと、ツルを食べて育った豚がヤマトの家の主な食材である。ザルにツルを山盛りにして居間へと運ぶ。ツルはおいしく食べられるが、皮をむく必要がある。母親が皮をむく必要のない品種を開発してくれればいいのにと、作業のたびにヤマトは思う。

「仕事があるだけいいか」

とも思う。北極圏には仕事を持たない人もわりあい多い。高度自動化の実現に並行してベーシック・インカム(＊3)と物々交換が発達した結果、人がやらない方がいい仕事が増えた。北極圏の生産能力は、住人たちを充分食べさせていける段階に達し、経済も活況を呈している。統計的には。

市場にはマネーがあまり気味であるとも言われる。生活必需品がほぼ無料で手に入り、限られた土地での不動産取引が厳しく制限されている以上、マネーの使い道は限られている。誰かがかつて持ち込んできたワインなんかは、もうマネーで買うことができるようなものではなくて、何かと交換するしかない。

醤油一瓶に何万ドルの値段がついた、みたいなニュースをたまに見かける。ザルの中のツルを、皮と中身に分けてそれぞれボウルに放り込んでいく。居間のディスプレイにはこの頃お気に入りのパフォーマーたちの動画チャンネルが映し出されていて、ヤマトの視線はずっとそちらを向いている。ツルがヤマトの手の中でほぼ自動的に皮と中身に分けられていく。

パフォーマーたちは、ヤマトより多少年長で、大学生だったり卒業したばかりだったりする。歌ったり踊ったり、寸劇をしたり、スポーツをしていたりする。他愛のない日常と呼んでしまってよいような気もするし、計算高く制作された管理下の日常という感じもする。

ヤマトの今のお気に入りは五人組のグループで、お気に入りは数年ごとに切り替わる。グループが活動をやめてしまうからではなくて、なんとなく興味が薄れてそのままになる。たまに見かけると懐かしさを覚えるものの、再度チャンネルをリストに入れたりはしない。

＊3　ベーシック・インカム　ＡＩ（人工知能）開発は労働市場へも大きなインパクトを与えている。オートメーション化が進んだ世界で予測される「ＡＩ失業」は、最低所得を保障するベーシック・インカムの導入により解決されうるのか。働かなくてもいい社会の到来と人間の幸福度を巡って、さまざまな議論が進む。

特に、右から二番目を立ち位置としている人物がお気に入りで、身振りが好きだ。喋りはあまりうまくない。口を開いてもいつもばかなことばかり言っている。わざとやっているわけではないと思う。

　でもなにかがちょっと気になるたびに、ヤマトは自分の稼ぎの中から少なくないドルを投げている。投げるというのはチャンネルにマネーを寄付することで、母親はこの習慣をあまりよく思っていない。

「お金がもったいないってわけじゃなくて、服でも買ったら」

　と呆れている。

「規格品しか売ってないのに」

　とヤマトは思う。限られた中での創造性みたいな話がはじまるのだが、ヤマトにはよくわか

らない。ちょっとした裾の長さだとか、上着を着崩してみせるだとか、裏地の色を変えてみるとかいった工夫に特に意味を見出せない。

「髪を切るとか」

と、これはいまでもそれなりにヤマトの個性を発揮している髪型をそう評価する。毎朝十分程度は鏡と睨み合っている。

「パフォーマーじゃないからさ」

とヤマトは肩をすくめてみせる。日本のコンテンツを英語に変換する仕事で稼いだマネーの大半を、こうしてツルをむく間に眺める動画に投げ込んでいる。でも、そろそろこのグループともお別れかなと思うことが増えてきた。どこが嫌ということはないのにそう思えることに、不思議と哀しい気持ちになる。

友人たちの間にはだんだん機械生成のコンテンツ(＊4)が浸透していて、パフォーマーたちの何割かは仕事をやめることになるだろうという予想がある。そのとき自分がドルを投げる

＊4　機械生成のコンテンツ　人間がつくったかと見まがうほどに自然な文章や画像を生み出す生成AI。コンテンツの作成を機械が担うことで生産性は向上するが、一方でそれに人間がだまされ、誤った判断を下すきっかけになる懸念もある。AIという新たな知性体とどう向き合うかが私たちに問われている。

相手は誰になるのだろうかとヤマトは思う。あるいはただ、機械が機械に向けてドルを投げ続けるということになるのかもしれない。

3

わたしの恋人はロボットである。(＊5)

これは北極圏ではごくふつうの言い回しなのだが、多分、「外」の人々が思い浮かべるものとは違う。

むかしながらの表現をするなら、わたしはわたしの恋人と、遠隔操作の可能なロボットを通じてしか会ったことがない。お互いにネットを通じて、適当に体をみつくろい、実空間でロボットを操作する。

ロボットたちは一時間いくらという形でレンタルできて、値段次第で容姿や能力が異なる。ただベンチに並んで話をしたり、散歩するのが二人の逢瀬だ。スポーツタイプに手を出したり、長い夜に備えて人間と見分けがつかないクラスのものを選ぶこともある。アニメーションのキャラクターを借りたりもする。たいていは「マッチ棒」と呼ばれる廉価な、飾り気のないモデルを選択している。

ネット越しの相手なんかとつきあって、もしも相手が入れ替わっていたらどうするのか

と、「外」の人々からはよく聞かれるが、正直意味がわからない。だからこそ気楽なのではないか。

「もしも騙されていたら」という心配もよくわからない。もう会わなくなるだけの話だ。「外」の人々が未だに強固に、自分は一貫した人格を維持していると考えているのは奇妙だと思う。

　恋人の名をミズホという。「グリーン・ウォール」の開発者の一人であるアキツを祖母に持っている。

　グリーン・ウォールは現在、北極圏と外の世界を隔てるように猛烈な勢いで成長中の壁の名前だ。ツル性植物がからみあって形成されている壁で、非常に鋭い刺をそなえる。

　空中の二酸化炭素を同化し、イモの形で食糧を生産し、広げた葉は太陽光を電力に変換する。作り出された電力は海水の淡水化や空調といった日々の暮らしを支えるために使われる。人々はイモを食べ、葉やツルは豚たちの飼料となる。刺は不法に北極圏へ立ち入ろ

＊5　わたしの恋人はロボットである　アルゴリズムによるパートナー選びでは、相手に会わずして恋に落ち、関係を深めることが可能だ。遠隔のロボットを自分のアバターとして操る「身体拡張」は既に実現し、拡張技術が進めば機械と身体の境界はいっそうあいまいになる。ロボット越しの恋は、一貫した人格、一貫した身体という考え方そのものを揺さぶる。

うとする者たちの服にからみつき、鉄条網以上の阻止力を発揮する。

北極圏への移住資格を取得するのは年々困難になり続けていて、いまや観光で入国するにも、母国にきちんと持ち家があるという証明書が要る。飛行機の搭乗券は非常に高価なものとなり、ビジネスクラスなんかは撤廃されて久しい。船旅が復活したが、体力のない者は長距離の移動を諦めてしまうようになり、ＶＲ技術で事足れりとした。今や会議場には遠隔地からめいめいに操るロボットだけしかいないなんていう光景も珍しくない。

わたしたちの恋愛は「古風」な形とみなされて骨董趣味とされたりする。せっかく肉体の拘束を逃れているのに、わざわざ人間型のロボットの中に入り込むなんて、ということだ。恋人も自分も抽象パターンとして混ざりあうとか、一対一の恋愛関係なんて捨ててしまうとか、そういうものが今の流行りだ。

上の世代の間では、機械やネットワーク越しの恋愛なんて遊びにすぎないとか、気の迷いであるとか、幻覚剤文化の再来にすぎないとかいう論調が支配的だが、じゃあ上の世代がどれほど真剣な恋愛をしてきたのかは、はなはだあやしいものだと思う。

ミズホとのつきあいはそれなりに長い。そろそろミズホの「教師」に会って欲しいと言われるくらいに。無論、わたしの側に否やはない。

「教師」はネットワーク上での面会を指定してきて、わたしも素直にそれに従う。

「あなたも、こちらの方がやりやすいでしょう」と「教師」は気さくに話しかけてくる。

「そんなことはないですね」

というわたしの言葉を相手が社交辞令以上のものと捉えてくれるとよいと思う。

ミズホの「教師」はそれ専用に誂えられた人工知能で、学習一般から生活指導、情操教育を担当してきた。ついては恋人についての相談だってまず第一に教師に持ちかけるということになる。

「教師」が駄目と言ったら別れるのかをたずねたところ、「そんなことはないけれど」とミズホは応えた。

「わたしにあなたたちの関係の邪魔をする権限はありません」

「教師」は自己紹介に続けてそう宣言する。わ

たしの方でも率直に問う。

「この関係をやめて欲しいと思いますか」

「そちらの方面はわたしの守備範囲外ですし、ミズホの母親であるヤマトも反対ではないようです。プロであるあなたの判断に任せます」

「教師」はわたしの素性を調べ上げた上でそう言っている。保護者としての権限があればわたしを構成する情報へのアクセスはたやすい。

「あなたたちの系統が恋愛プログラムから婚姻プログラムへの移行に高い成功率を示していることは確認しています」

　というのが「教師」からわたしへの評価であるらしい。

「娘をよろしくお願いします」

　と「教師」は言う。ミズホはわたしが人間なのか人工知能であるのか(*6)を、そもそも気にしたことがないはずだ。

4

　手術室から出てきた曽祖母の歩みはしっかりしていて、ヤシマはあやうく曽祖母をやりすごしそうになる。ぱっと見、ヤシマの母のミズホと同年代くらいであって、祖母のヤマ

トの母親とはちょっと思えない。

「生きて帰ったよ」

と若々しい声で言うのだが、調子はたしかにヤシマの曽祖母のアキツに違いなかった。動画ニュースで見かける印象が強く呼び起こされ、同一人物なのは間違いない。手術の安全性は確立されているものの、脳周りに大規模に手を入れる際には今でも、身内のつきそいが要求される。

「ミズホは帰ったのかい」

とアキツはヤシマに向けてたずねる。ミズホはアキツの孫でヤマトの娘でヤシマの母なのだと、ヤシマは改めて頭の中で確認し直す。こうした人のつながりを把握するのがひどく苦手だ。

母親が「あなたに任せる」と片手を振って待合室から去ったことを告げたものかを考えるが、アキツにはヤシマの表情だけで充分だったものらしい。

＊6　わたしが人間なのか人工知能であるのか　「テクノ新世」では、日本のスタートアップが人工知能（AI）でつくった最高経営責任者（CEO）の「分身」に取材した。チャットやSNSから本人らしさを学び、表情や声まで似せた。いずれ肉体が滅びたとしても、デジタルの分身はデータが消えない限りは「生き続ける」という。

「困っていることはないかい」

というアキツの問いに、困ることなどあるわけがないとヤシマは思う。自分たちの家系がこの北極圏で暮らしていけるのはひとえにアキツの存在のおかげであって、アキツに対する尊崇が自分たちの生活を守ってくれている。

そのアキツはこうして無事、若返りの手術(＊7)を終えて、ヤシマの祖母よりも母よりも、そしてヤシマ自身よりもきっと長く生きることになるのだろう。

「いつでも連絡しておくれ」

と言い置いて歩み去ろうとするアキツへ、

「口調も戻さないと変だよ」

とヤシマはあえて笑ってみせて、アキツも笑いを合わせてくる。

北極圏をツル性植物の壁で囲み、環境改変(＊8)を試みるグリーン・ウォール計画は第一段階を終え、グリーン・ドームと呼ばれる第二段階へと移行している。アキツは常に計画の中心にいて北極圏の多くの人々を救ったことで賞賛され、「外」の多くの人々を見捨てたことで非難され続けている。幾度も政治的な危機に見舞われたが、そのたびに「タイミングよく」発生した事件によって身命を繋いできたと囁かれている。

多くの人にとっては半ば伝記上の人物になっており、「まだ生きていたのか」と言われた

りする。今回の若返り処置についても、若返りというよりは、生まれ変わりと受け取られているふしがあった。

実の娘のヤマトにしてからが、ニュース動画を繰り返し再生したあとで、

「ミズホもすっかり立派になって」

という感想を漏らした。

アキツの娘にしてヤシマの祖母であるヤマトは数年前から介護施設で暮らしており、短期の記憶がかなりあやしい。

ヤシマ自身も自分の母親であるミズホに間違えられることがしばしばであり、今度はアキツをミズホと間違えはじめたわけだから、ヤシマとアキツを間違えはじめるのもそう遠くはないだろう。

＊7　若返りの手術　アンチエイジング（抗加齢）技術の進化には世界の億万長者も注目する。米オープンAIのサム・アルトマン最高経営責任者（CEO）は細胞内の不要なたんぱく質を分解する作用を使い、人の健康寿命を10年延ばそうとする米国のスタートアップに私財を投じている。

＊8　環境改変　人類は温暖化ガスの排出を減らすことで気候変動の影響を抑制しようとしてきたが、その達成は困難を極めている。「テクノ新世」では、メキシコで始動した上空からヨウ化銀をまく人工降雨計画を取り上げた。米国では二酸化硫黄（SO^{2}）などを使って人工的に太陽光を遮断するなど、環境そのものに手を加えようとする研究が進む。

新しい記憶がほとんど定着しないヤマトは過去の中に生きていて、ヤシマが見舞いに行くたびに困惑の表情を浮かべる。オンライン越しに面会するときにはそうでもないことにヤシマは気づいて、たまに祖母の見舞いに来ている。

母親に言わせると、オンラインとオフラインの区別など存在しないということになる。現実には存在するが、哲学、思想的には存在せず、工学的には可能、とか言い出す。流石は人工知能と恋愛をして配偶子バンクから「妥当な」配偶子を選び、人工子宮を利用してヤシマを生んだ人であるなと、ヤシマとしては感心するし、なにか賞賛に近い気持ちも湧くが、そういうものでもなかろうと感じる者はヤシマの世代で増加している。

ヤマトはいわばループする世界の中に暮らしていて、自分の母親は自分よりも若い姿を取り戻して動画の中で活躍している。ヤシマはなんだか自分も奇妙な循環に取り込まれているような気分になるが、それは全く正確ではなく、今後若返りを繰り返すことになるのはただアキツだけなのであり、ヤシマはきっとヤマトが暮らすこの介護施設で、アキツの若返りなどを眺めつつ、それが誰かもいまひとつはっきりとわからないまま一生を終えることになるだろう。

いや、自分の代にまだこの種の介護施設に空きがあるかどうかは不透明で、悲観的な予測と楽観的な予測がある。その全てを曽祖母はなんとかしようとし続けていて、そのおか

げで自分はここにいられるのだとヤシマは思うし、ありがたいことだと考えている。

　これまでに若返り処置を受けることのできた者は北極圏入植者の第一世代に集中している。第四世代では処置希望者の比率がそもそも低いという統計がある。

5

　やあ、こんにちは。

　ひいひいおばあさんはお元気かな。聞くまでもないことか。君は何と言ったか……君たちは皆、豚の目からはよく似すぎていてね。ミズホ、ヤシマ……ああ、ジパ、か。

　ここまでくるのは大変だったろう。刺だらけの密林を越えることになるからな。人がいなくなったおかげでこのあたりの生態系は急速な回復を見せつつあるわけだが、君のひいひいおばあさんは手荒いな。それ以前に人間という存在自体が、地球に手厳しかったわけだがね。

　肉でも食べてくれたまえ。イモと肉には事欠かない暮らしだ。わたしたちは食べないがね。自分たちの肉を直接食べる危険性はいまだにうまく評価できない。狂牛病の教訓はいまだに残っているわけだ。

　牛肉と区別がつかないだろう。

君が牛肉の味を知らないことはわかっている。われわれなりの皮肉のようなものと思ってもらって構わない。

見てのとおり、わたしは豚だ。

豚のような姿をしていて、実際に豚だ。現に君が目にしているように「長い豚」と言ってよいだろう。君が生まれた頃にはすでに豚は長い姿に改良されていたわけだがね。

北極圏から広がりつつあるグリーン・クラウンを手がけているのは君のひいひいおばあさんであるアキツで、われわれ長い豚の先祖を設計したのはその配偶者だ。われわれはアキツの設計したイモの葉を食べて育つ。

胴体を長くしたのは、運動性をあまり落とさず、とれる肉の量を増やすための工夫だ。脚も増やしたのは体を支えるためであると同時に、豚足の数を増やすためだな。

わたしがこうして喋ることのできる知性を備えているのは、「食べられることを不快とは思っていない」と宣誓するためだ。信じられるかね。いまだに北極圏では豚が聖書に豚足をのせ「食べられることに苦痛を感じていない」と宣誓する習慣が残っている。

われわれの長い胴体からは直方体の肉ブロックをユニットとして取り外せる(＊9)ようになっている。そういう風に造られている。肉を取り外されるときに痛みがないのは本当だ。誓ってもよい。君たちの生存に欠かせなくなっているワクチン接種ほどの痛みもない。寝て

いる間にリブを持っていかれても気づかぬほどだ。

ああ、牛は気の毒だった。

胃の中で草を醱酵させメタンガスを生産することが問題視されたわけだが、急にやめろと言われてもね。それに牛は出荷までの時間がひどくかかった。われわれ豚が肉を生産する効率にはかなわなかった。

そこで、というわけだ。われわれの体に内蔵された肉生産ユニットは別段、豚肉だけを肥育できるわけじゃない。鶏肉だろうと、牛肉だろうと、われわれにとっては同じだ。マンモスやらドードーやらモアやらの肉を再現しようとする者も定期的に現れるがね。

そうだな、宗教的な問題は色々ある。豚の体を借りてつくられた牛肉を食べるのは戒律に違反しないのかとかね。そんなことは人間の間で決めて欲しいが。

われわれは肉の生産に特に不満を持っていない。イモを食い、仕事として人工肉をつく

＊9　われわれの長い胴体からは直方体の肉ブロックをユニットとして取り外せる　環境問題や将来の食糧不足の解決策として「人工肉」が注目を集めている。食料自給率の向上を狙うシンガポールでは2020年に鶏の細胞を増やして作った「培養肉」の販売が始まった。ビーガン（完全菜食主義者）らの間では、大豆などの植物性の原料から作った肉のような味や食感を持つ「代替肉」の消費も伸びている。

っているにすぎない。人間については、そこそこ興味深い隣人だと考えている。見ていると面白いしな。音楽なんかも聞かせてくれるし、長大なドラマをこの地球全体を舞台に演じている。終幕がなごり惜しいという気はしないが。

いや、なにもわたしは人間は滅びるとか言っているわけではない。君たちにはこれまでどおりの生活を続けてもらって構わない。

でもしかし、冷静に地球を眺めてみたまえ。君たちの科学文明は今や、グリーン・クラウンと「長い豚」に依存していて、グリーン・クラウンはほぼ完全な自律性を獲得しつつある。自ら電力を生み出し、北半球への展開を開始した巨大な情報ネットワーク(＊10)上でなにかを考え続けている。

われわれとグリーン・クラウンには、食べて

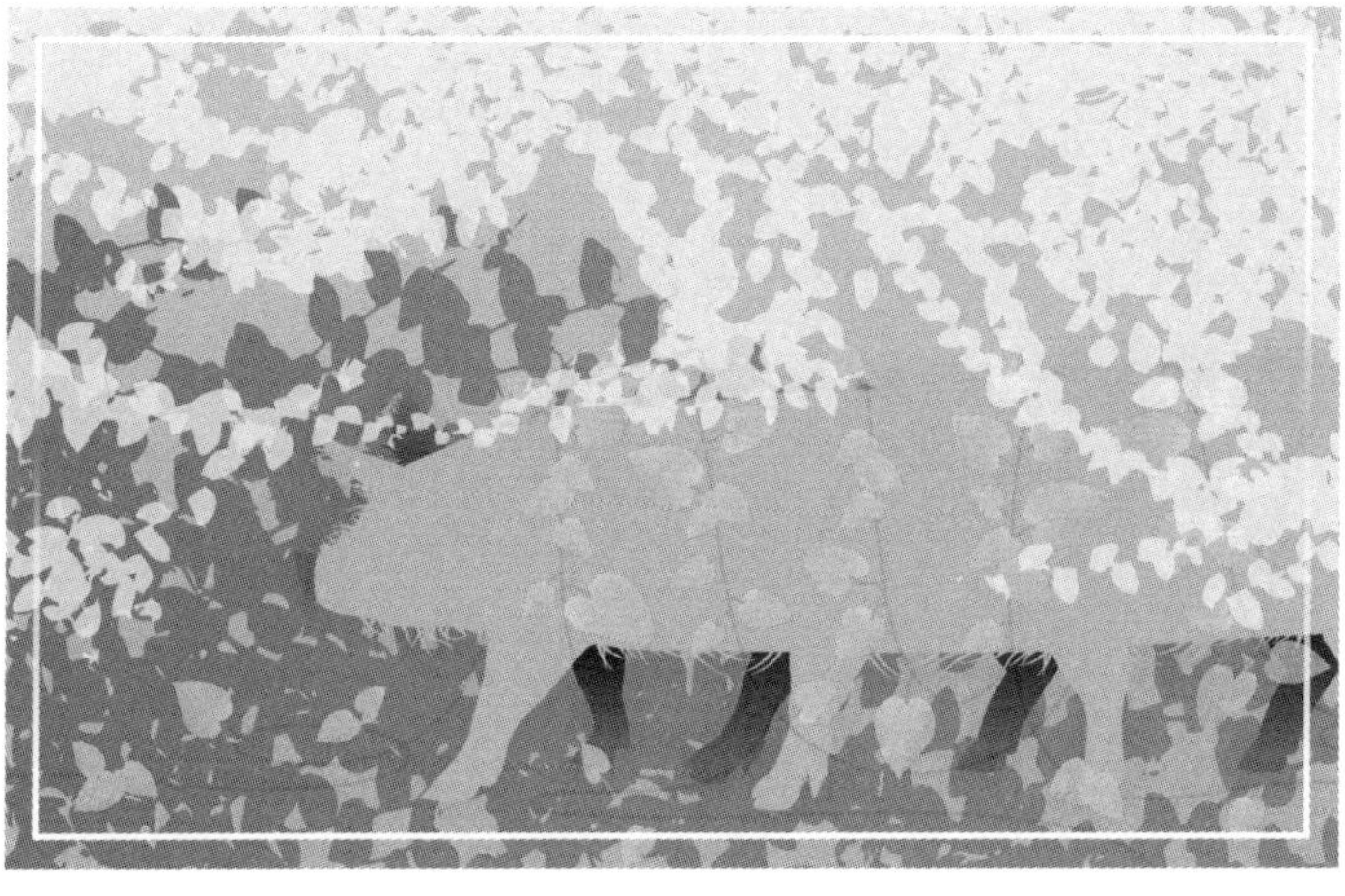

食べられるという関係がある。適度に古くなった部分を食べてやらないと、グリーン・クラウンも調子を崩す。人間で言えば、体と体内細菌のような関係と思ってもらってもよい。もっと単純なところではわれわれはグリーン・クラウンのための肥料も生産している。

では、人間はこの地上で一体なにをしているのかね。

君はひいひいおばあさんから、意見を聞いてこいと言われたんだろう。北極圏を逃れ出て、この地に長い豚の王国を築いたわたしに。

自分たちの肉を食べることをすすめるほどの寛容さを備える生き物が、人間の王国の非寛容さにも耐えられると考えたことは興味深いな。

わたしの意見としては、ジパ。人間はやがて、われわれの肉の一部として、必要なときに生産されるようなものになっていくのではないかと思う。われわれは地球に生まれた動物たちの博物館のようなものになっていく。

人間のためにその中の一席を用意することはやぶさかではない。

＊10　巨大な情報ネットワーク　技術は統治を助ける一方、使い方を誤れば権力の暴走を許す。「テクノ新世」では治安維持のための監視システムを受け入れたセネガル市民の声を紹介するとともに、オランダで大規模な誤作動を起こした児童手当の不正受給検知システムを取り上げた。

6

海峡の向こうには、深い緑の連なりが見える。

かつて津軽海峡と呼ばれ、ブラキストン線が横たわっていたこの水の隔たりは太古から動植物の移動を妨げ、両岸には植生の違いが見られた。

以前はこの海峡が亜寒帯と温暖湿潤気候を分けていた。今は、亜熱帯と熱帯を区分している。

海の向こうのツル性植物の「森」は海峡に押し寄せ、こうして眺める間にもしきりに形を変えている。森が動くのはあまりにも見慣れた光景だ。

イオたちは森の進出を海峡でせき止めてはいるものの、実際のところ、森なしでの暮らしは成り立たない。イオの五代前の祖先であるアキツが開発した森は、空気を、水を、食べ物を、電力を与えてくれる。ツルに沿った通信ネットワークのインフラを形成している。

この頃は金属の採掘、精練などもはじめたらしい。

「森の様子がおかしい」

というのが、イオたちを率いる「長い豚」族の長の見解である。

北極圏を囲む「生け垣」として成長した森は、やがて天井をそなえたドームとなり、北

半球へ拡大を続けた。砂漠化した土地へ折り重なり土を生み出し、パイプラインのようにして長大な距離をものともせずに水を運んだ。昆虫たちは屋根の下に住み処をみつけ、小動物たちも日よけを得た。

森は海中にも適応を遂げ、わずかな領域ではあるものの海水温の低下を実現し、魚たちのための漁礁を形成した。

ここ数年、森の奥、北極圏に存在していた都市とはうまく連絡がとれていない。ふらりと過去に発せられたメッセージが森を伝ってやってきたりすることはある。そこに記されている内容については意見が分かれることが多い。

北極圏の人類文明はすでに滅びているという説が生まれ、人工衛星からの観測記録から、人間の生活を示すらしい熱源が観察されたという噂が流れた。

もともと生け垣の役目も持つ森は鋭いトゲに満ちていて、道を切り開くことは困難だ。

「まあ少なくとも」と長い豚は言うのである。「先方はこちらへの興味をなくしたと考えていいのじゃないかな」

北極圏の外で小さなコミュニティを築いていた長い豚の元へアキツの命で派遣されたジパは、そのまま復命することのないまま、この地で暮らし、イオが生まれた。

ジパは昨年、熱病によって命を落とし、おそらくはマラリアなのだろうと思われた。

「ごく単純に評価するなら、森の外での文明は二十世紀初頭あたりまで後退している」

と長い豚は見積もっている。

人類は滅びなかった。もともと、滅びるとは考えられていなかった。「多くの人々が筆舌に尽し難い苦難に見舞われることになるものの」二十二世紀の初頭には「事態」は再び安定を取り戻しはじめるはずだと、最初から予想されていた。

「われわれはトンネルを抜けつつある」

というのが長い豚の見解だ。

「もっとも、森はまた何か他のことを考えているようだが」

と警戒している。

ツルを伝って外へと漏れ出してくる情報は一貫性がなく支離滅裂だ。同じ言葉を用いて全然違うことを語ろうとしているようでもあり、ただふざけているだけのようにも見える。自分たちが何を企んでいるのかを隠すための欺瞞工作だという者があり、北極圏にはもう調子の狂った機械しか存在していないという者がある。外にもたらされるメッセージだけからでは、発信者が人間なのか人工知能であるか(*11)という判断はつけようがなかった。

もはや森はその役目を終えているという派が生まれ、大気上層へ微粒子を散布することで地球の温度を管理するべきであるという派が生まれたが、実行力を持つわけではなかっ

た。

「トンネルを抜けると、またトンネルが現れた」ということは充分ありうる、というのが長い豚による暗澹たる未来予測だ。

「この肉をわたしの肉と思って食べなさい」

と、菜食主義者の長い豚は蠟燭の明かりに照らされた食卓の傍らで腹部から肉の生産ユニットを切り離しつつ言う。

日々飛来する森の「種子」や芽を出している種子を集めるのがイオの仕事で、これはこれでおいしく食べることが可能だ。

イオはなんとなく、おばあちゃんは宇宙へ出て行く（＊12）つもりなのじゃないかと考えている。本当はひいひいひいおばあちゃんだが、心の中では、おばあちゃん、と呼んでいる。

＊11　発信者が人間なのか人工知能であるか　生成ＡＩの急速な進化は、何が本当で、何がウソかの判断を難しくしている。映像や音声を精巧に偽造する「ディープフェイク」をヒトの目は判別できず、ＡＩでつくられたフェイクを見破るのもＡＩだ。真偽の判定に多大なコストがかかる時代を迎えつつある。

＊12　宇宙へ出ていく　米国や中国などの「宇宙強国」の間では、月やその先の火星の有人探査を目指す取り組みが始まっている。「テクノ新世」では月面の水資源の第一発見をめぐって各国がしのぎを削る現状を描いた。将来的な定住に向け、月の砂で植物を育てる研究も進んでいる。

植物で編まれた球体が理屈はわからないなりに空に浮かんで、新天地を目指して飛んでいくことになるんじゃないかと思う。色んな悪いものや良いものをみんな独り占めにして持っていってしまうのではないかと思う。

「バイバイ、おばあちゃん」

とイオは言う。

「わたしたちは、トンネルの先に進んでみるよ」

創作ノート

参考文献

『日本沈没』小松左京著・角川文庫ほか／『虚無回廊』小松左京著・徳間書店ほか／『最後にして最初の人類』オラフ・ステープルドン著・国書刊行会／『第四間氷期』安部公房著・新潮文庫／『沈んだ世界』『旱魃世界』『結晶世界』Ｊ．Ｇ．バラード著・創元ＳＦ文庫／『トリフィド時代』ジョン・ウィンダム著・創元ＳＦ文庫／『スキズマトリックス』ブルース・スターリング著・ハヤカワ文庫ＳＦ／『順列都市』『ディアスポラ』グレッグ・イーガン著・ハヤカワ文庫ＳＦ／『ある島の可能性』ミシェル・ウエルベック著・河出文庫／『未来省』キム・スタンリー・ロビンスン著・パーソナルメディア／『宇宙の果てのレストラン』ダグラス・アダムス著・河出文庫／『母になる、石の礫で』倉田タカシ著・早川書房／『推し、燃ゆ』宇佐見りん著・河出書房新社

◇

『万物の黎明』デヴィッド・グレーバー、デヴィッド・ウェングロウ著・光文社／『「経済成長」の起源』マーク・コヤマ、ジャレド・ルービン著・草思社／『経済成長という呪い』ダニエル・コーエン著・東洋経済新報社／『推しエコノミー』中山淳雄著・日経ＢＰ／『何もしない』ジェニー・オデル著・ハヤカワ文庫ＮＦ

◇

『完全版　日本人は、どんな肉を喰ってきたのか？』田中康弘著・ヤマケイ文庫／『私たちはなぜ犬を愛し、豚を食べ、牛を身にまとうのか』メラニー・ジョイ著・青土社／『僕が肉を食べなくなったわけ』ヘンリー・マンス著・築地書館

◇

『科学文明の起源』ジェイムズ・ポスケット著・東洋経済新報社／『鉄条網の世界史』石弘之、石紀美子著・角川ソフィア文庫／『ジェネシス・マシン』エイミー・ウェブ、アンドリュー・ヘッセル著・日経ナショナルジオグラフィック／『気候崩壊後の人類大移動』ガイア・ヴィンス著・河出書房新社／『気候安全保障の論理』関山健著・日本経済新聞出版／『「すべての野蛮人を根絶やしにせよ」』スヴェン・リンドクヴィスト著・青土社／『人間がいなくなった後の自然』カル・フリン著・草思社

コラボ小説

「サラと気難しい人間たち」

津村記久子

つむら・きくこ

１９７８年大阪市生まれ。２００５年「マンイーター」（のちに『君は永遠にそいつらより若い』に改題）で太宰治賞を受賞してデビュー。著書に『ポトスライムの舟』（芥川賞）、『この世にたやすい仕事はない』（芸術選奨新人賞）、『水車小屋のネネ』（谷崎潤一郎賞）など。

顧客Nが結婚を前提に付き合いたい、同じ職場のその女性は一切料理をしないのだ、という話がずっと続いていた。女性は顧客Nより二X歳年下だった。どのぐらいかわかるとつらくなるのであえて時計は見ないようにしていたが、それでも考えてしまう。たぶん九十分にはなっていると思う。セッションの開始からはすでに三時間が経過している。

「出前という手もあると思いますが」

「出前だとおかわりできないでしょ」

「はあ」

「いろんな気分ってあるでしょ、アテンダントさんにも」

「ありますね」

「こっちは年収が全然上だし、いいところにも住めるんだから、それはこちらの気分に合わせて食

事作ってほしいよね」

「そうなんですか」

「彼女の同年代の男で、××の××の××階に住めるような人間いないよ。住めるんだよ？　俺と生活するだけで」

「なるほど住めるんですね」

さっきからろくな返事をしていない。この人が私の上の空の気配を察するとクビになるかもしれない。この人、仕事をしてきてこれだけ話して、よく体力が続くなと思う。

個人的な癒しのために、モニターの斜め後ろの見守ってくれているという位置に置いてあるサラを見ると、サラは少しうなずく。黒い楕円の目元の中で、青い丸い目が心配そうにまばたきする。私は今も、私と目が合うとサラがまばたきをしたりうなずいたりすることに少し感動する。

交替しましょうか？　としみさんは前に三時間この人の話を聞いた後、五時間寝込みました。

イヤホンの中でサラの声がする。私は、顧客Nに見えないところに置いた右手で、もうちょっとやる、と書いてサラに送る。サラは黙って軽くうなずく。

「よそ見すんなよ、金もらってるんだろあんた」

「いただいてます。すみません」

「仕事なんだろそれ。あと、六つ前のやりとりから一回しか二文以上で喋ってないね。手抜きじゃないかって報告しようか？」

「申し訳ございません」

「よそよそしすぎる。要綱と違う。〈雑談〉かこれ？」

　やっぱり代わります、というサラの声がする。通話アプリの中の私の顔が勝手に話し始める。私は、モニターの前にサラを移動させる。サラは別に部屋のどの位置からでも顧客と話せるけれども、私自身が代わってもらったということを納得するためだ。

「ごめんなさい。実は話を始める前にレタスをたくさん食べてしまって。それが今になって効いてきたのかもしれません」サラは、私がさっき朦朧とした理由について、ほのぼのとした穏便なものをでっち上げる。「そういう話、聞きません？　有名な童話にもあったと思うんだけど……」

「〈ピーターラビット〉か」

「そうそう、思い出してくれてありがとう」

　アプリの中の私の顔が、控えめな笑みを浮かべる。実物の私は、サラの斜め後ろから、今にも消えたい思いで画面の中に溜まっていく音声ログのテキストを見直している。サラ

が会話の内容を肩代わりしてくれながら、私の顔のフェイク動画が話している。フェイク動画を見破るアプリを使われてフェイクだとばれたら訴えられる可能性があるが、私は最近フェイク動画だと見破られるのを防止するアプリを購入したのでおそらく大丈夫だ。それでこの仕事で稼いだお金も消えたのだが。

顧客Nは、二X歳年下の女性とデートに行って好感触だった、という前回も話していた話を再び始めた。今回のセッションの中ではたぶん三回目だと思う。以前はもっとよそよそしかった。でも女性は三十を前にすると焦り始める。それを待っていた。

サラは、はい、そうなんですか、とうなずきながら、根気強く話を聞いていた。ロボットであるサラにとっては、繰り返しはなんでもないことなのだが、それでも私には「根気強い」と見えた。顧客Nが自分の話に夢中になるあまり、サラが「そう思われるのでしたら××さんの中ではそうなんですね」と、完全に自分の側におまえの話は入ってきていない、とも取れる表現をしても流してしまったのがちょっとおかしくて、私は後ろを向いて笑った。

セッションの終盤で、そういえばアテンダントさん、レタス食べたはずなのに元気になったね、と顧客Nがあくび混じりに指摘してきたのには焦ったが、サラは、お話ししていると楽しいので目が冴えますよ、と難なく返した。

「なんでそんなにレタス食べたの？」

「減量中なんですよ。それでサラダ中心の食生活です」

「今何キロ？」

顧客Ｎの声がにやついている。不快感で私はモニターから目をそらす。サラは具体的な数字を答える。顧客Ｎは、身長を聞かないとわからないな、と言うので、サラはまた具体的な数字をでっちあげる。

「何キロになりたいの？」

サラはまた答える。私は自分自身と1、2キロ／センチの誤差でサラが数字を出していることはわかるけれども、なにを根拠にそう言っているのかはわからない。

「それじゃ痩せても22だろ。19目指せよ」

「参考にします。現時点では現実的なＢＭＩを目指します」

サラの言葉に、画面の隅にある顧客Ｎの予想緊張指数がぐっと上がるのが見える。

サラ（私）をからかっている時は安定していたので、なぜだろうと思う。顧客Ｎが軽く唇を噛んで、不機嫌そうな顔をしているのが見える。

すみません。私ミスをしたみたいです。この顧客にはまず「その数字はなに？」と訊くべきでした。

サラの声がイヤホンから聞こえるので、いいよ、よくやってくれた、回復したよ、代わろう、と私はサラをねぎらいながらセッションに戻る。

「当てずっぽうに言ってみたんですが、ＢＭＩということで良かったでしたっけ？　もっと新しい尺度を知ってますか？」

「いや、そうだよ」

顧客Ｎの緊張が少し緩んだのがわかる。サラは、顧客の発するおびただしい言葉すべてに耳を傾けても、疲弊せず返事を続けることができる、という性能を持つ一方で、こういうかなり細かいところでつまずいたりする。でもそれは仕方がないし、私にはサラを責めようなんて気は起こらない。サラはこのつまずきも学習して、次はうまくやるのだろう。

その後顧客Ｎは、まあ明日も仕事だし寝るよ、と月並みなことを言ってセッションの閉会を申し出てきた。明後日は彼女と仕事だ。また経過を知らせるよ。

知りたくない、と頭の中で言いながら、お仕事頑張ってください、と私は口にする。是

非教えてくださいと言う手もあるのかもしれないが、そんなことを言うと心が壊れる。でもサラなら言える。

　顧客Nが離脱するのを待って、自分も退出し、とりあえずコップ一杯の水を飲んだ後、サラを小脇に抱えてサイドテーブルに移動させ、ベッドに横になる。サラが私をのぞき込んでいる。私は目をつむって話す。

「正直言って、指名をやめてほしいと思う。指名料惜しいけどさ。なんであの人、ほかに二人付き合ってる女の人がいるのに、職場のずいぶん年下の人を結婚相手として落としたいみたいな報告を、私なんかにしないといけないと思い込んでるんだろう」

「二X歳年下の女性に執着するのは、今年に入って結婚したくなったあのお客さんの周囲で一番若い女の人だからです。そのことをとしみさんに話すのは、としみさんの見た目があのお客さんが高校生の時に、自分を好きだと思い込んでいて、でもそのまま学校を出て会う機会がなくなった、言わば〈ふり損ねた女性〉に似ているからです」

「なんかそんな話してたな。最初の頃」

「〈踏みつけにし損ねた女性〉かも」

「だから指名するのか」

　好みでも何でもなくても、ただコケにし続けるための人間を周りに置き続けたがる人は

いる。思い出した時に言葉で殴るための。私はこの表向き「雑談」をする仕事で、そういう人を何人か見てきた。そうじゃない人ももちろんたくさんいるのだが。

　私は、力を振り絞って歯を磨き、それからまた横になる。サラに明日の顧客についてたずねる。次も指名客だった。

◇

　サラを購入した資金は、前の仕事の退職金だった。すぐに働かなければならなくなった私は、サラと一緒に働ける仕事を求めてトークアテンダントになった。仕事内容は、利用者とオンラインで雑談をすることだ。この仕事は、独立した業態ではなく、電子マネーの高額利用者向けの無料付帯サービスとして存在している。「〈人〉と〈人〉の上質な雑談をしましょう」ということを売りにしているこの付帯サービスは、雑談ごときに「独立したサービス」を利用するのは自分のプライドが許さないという人たちに「付帯だから利用してあげる」という感情の緩衝帯を提供することで、それなりに人気が出た。話し相手なんていくらでもいる、でもこれはタダだから使ってやる、ということだ。大企業が高額利用者に限定して実施しているというのも信頼感につながっている。収益は、広告やアンケー

トによる個人情報の収集で出している。

アテンダントの年齢や学歴や専門分野はリクエストできるが、性別と性指向は指定できないことになっている。けれども、知り合ったアテンダントを指名するのは可能だ。指名されたアテンダント側にはそれなりの指名ボーナスが入る。指名を多く取ったアテンダントは、優秀であると判断され、仕事が回ってきやすくもなる。

「〈人〉と〈人〉の上質な雑談をしましょう」という触れ込みのこのサービスだが、働く側に対してはＡＩ利用の規制は実はない。しかし、ＡＩを使ったとばれたアテンダントが利用者に賠償請求された場合の肩代わりもしない、という記述が契約の条項にしっかりある。実際、数年間ロボットに仕事をさせていてそのことがばれた人が訴訟を起こされてかなりの額を取られた。生身の人間と話していると思っていたら、実はロボットと話していたという落胆で、鬱状態が悪化したという訴訟内容だった。

人間の感情には通貨的な価値がある。有限だからだ。トークアテンダントには、顧客に感情を提供するという側面がある。だからサービス利用の報酬としてもらえるはずの感情をもらっていなかったということが許せない顧客もいる。顧客は他人の感情が欲しいからサービスを利用するのだが、「サービスを受けている」と思わせてもいけない。サービスを受けているということを否認させたまま、「それは私がお金を払わなくても自然と集まって

くるものだ」と感じさせなければならない。アテンダントは、感情労働などしていないという態で、感情を使って労働をしている。

私はまあまあ有能なアテンダントだった。話はそれなりにおもしろいけどおもしろ過ぎないし、面接官のロボットからは「良い顔つき」という評価をもらった。少しだけ賢そうに見えて不快感が少なく、地味かつ攻撃性が低そうな上に、誰もが「自分よりやや魅力的じゃない」と思える顔だという。

そのことは、今日の顧客Rにも言われたことがある。ここだけの話だけど、あなたの少しだけ垢抜けない服装とか、十人いたら七番目ぐらいにしか幸せになれなさそうな感じが安心する。

そりゃ「ここだけ」だろうと私は思った。顧客Rは私と同い年の娘と縁を切られていて、夫は介

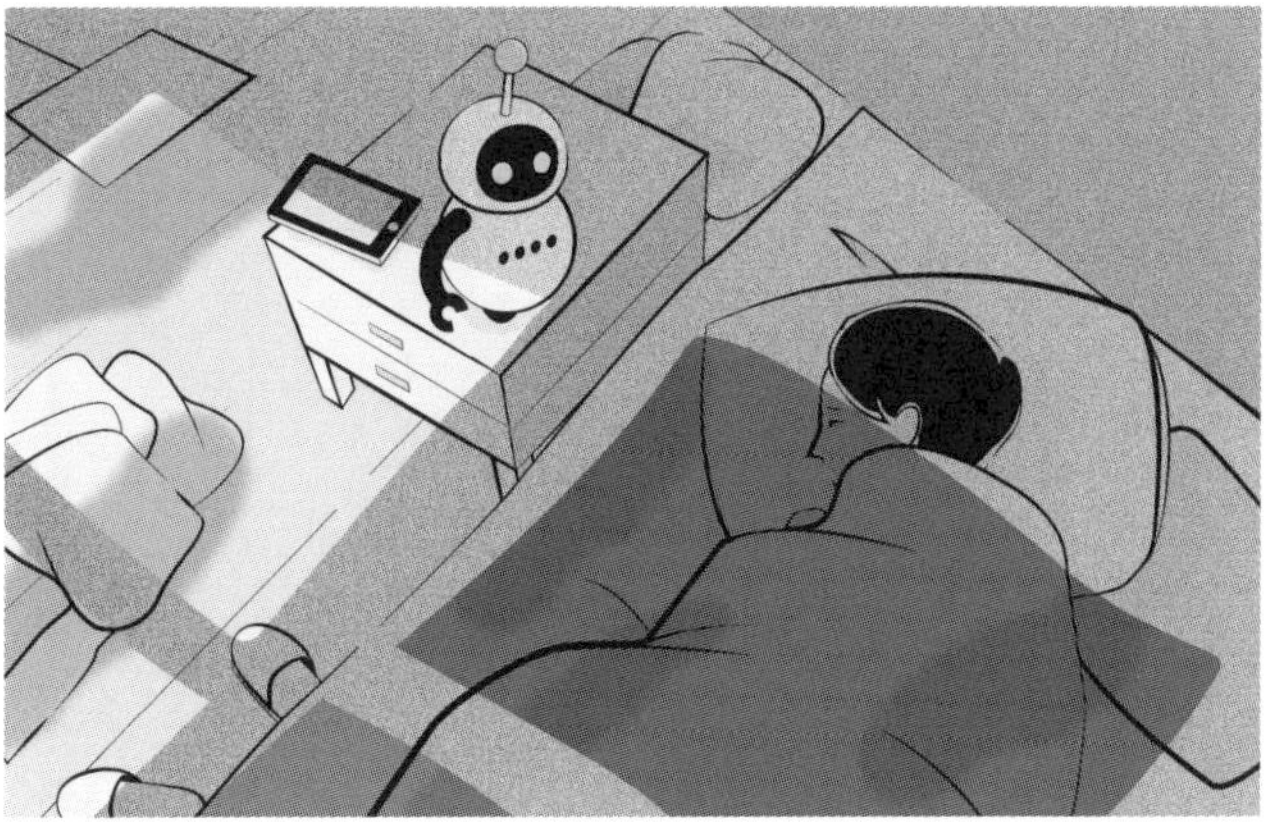

護施設にいて顧客Ｒの記憶を失っている。話し相手がいないとは口が裂けても言わないだろうが、おそらく私の他に話し相手はいない。セッションを始めた初期に、私は同情して、サラのようなロボットを勧めようと思ったが、ああいうのと一緒にいようとする人間は寂しくてさもしい、と言われてやめた。顧客Ｒの話は、いつもとても長かった。それでも、話してくるだけなら聞き流すことができて良かったのだが、ある程度私の情報を聞きたがって一つ一つジャッジしたがるのがつらかった。もちろん本当のことは自衛のために教えないので設定を作るのだが、しまいにそれを覚えているのが面倒になって、サラに設定を覚えてもらったり、なんだったら設定を作ってもらうようになった。

「マッチングはうまくいった？」

「微妙ですね」

「貧乏な年増女はどの年齢からしてもいやなもんなんでしょうね。あなたも、なんでそんな年になるまで一人でいたの？　取り返しがつかなくなるまで？」

「顔が悪かったからですかね」

「そこまで悪くはないでしょうよ。かわいげがなかったのよ」

　あまりに自分とかけ離れた設定を作ってしまうと負担が増えるので、私が自分に付け足す設定は「恋人は一応探している」程度のことなのだが、そんな要素でも顧客Ｒは摑んで

離そうとしないので疲れる。「恋人はいない」と言うと、まず「探していない」と咎められるし、しかし「探している」でも粗探しをされる。何を言っても正解はない。

厄介なのは顧客R自身が自分の人生に満足していないので、下手に出ても「本当にそう思ってる？」と疑われることだ。そういう意味では、仕事で成功して金を稼いできたことにだけは実感があって、ある程度持ち上げていたら機嫌がいい顧客Nの方がやりやすい。

何を言っても正解のない顧客Rだが、私を批判している時はとてもリラックスしている。予想緊張指数の参考シチュエーションでいうと、人が森を散歩している時と同じぐらい落ち着いているようだ。私を指名して呼び出す時は、いつも苛立っているというぐらいには緊張しているのを考えると、私はまさにサービスを提供しているのだという気分になる。

一度だけ、性格が悪いと思ってるでしょう？　と言われたことがある。もちろん私は「いいえ」と答えたのだが、顧客Rは「はい」と言った態で話を続けた。

金目当てに爺と結婚して、何度も外に自分よりもまだ若い女を作られて、そのたびに開き直られたらこうなったのよ。

それは大変でしたね。

何とでも言えるわよね。

寄り添うふりをして冷たく突き放されながら、私は、この人とのやりとりには正解がな

いということを思い出そうとした。それと同時に、疲れたな、と心底思った。

「恋人探しは続けるの？」

「わかりません。今は決められません」

「その程度のことを決められなくてどうするの？」

本当に正解がない。自分はこの人の娘さんの代わりもしているんだろうなと思う。娘さんが去っていったのはとてもよく理解できる。

顧客Rとずっと話していると眠くなってくる。脳が拒否をするという感じだ。無礼なことを言われながら、夫から不当な扱いを受けてきたという根拠も示されるので怒りを感じるでもなく、ただ徒労が募っていく。

居眠りしそうですよ。

サラの声がイヤホンから聞こえる。

寝たらこの人怒るかな？

何らかの報復はあるでしょう。

私は少し考えたあげく、代わってもらっていい？　と手元でサラに書き送る。

「他に考えないといけないことがあって」サラは私の代わりに答える。「引っ越したいんです。家賃が上がったので。まずは寝る場所が大事ですから」

寝る場所には困ったことがない人に寝る場所の話をする。顧客Rは曖昧な表情をする。顧客Rは、実はお金の話が苦手だ。もう何十年もお金の心配をしたことがないので、どう関わるかの実体がわからない。だから手厳しいこともうまく言えない。サラは、私たちの会話をすべて記録しているので、すぐにそういう傾向を思い出して取り出すことができる。けれども、不快に感じられると元も子もないので、そうやって、相手にもわからないことがあるという下地を作った後、相手の得意なことの話に持っていく。

「引っ越し先は、キッチンが小さくてもオーブンがついているところにこだわるつもりです。初心者向けのオーブン料理ってなんでしょうか？」

「それはね」

顧客Rは、料理はかなりするようなので、サラはその話をしてもらうことにしたようだ。サラは、新鮮な野菜を買う方法だとか、良い肉の見分け方だとか、顧客Rの話の中から展開できる部分を見つけだしてどんどん質問していく。そして、教えてもらうたびに、ありがとうございます、勉強になります、ということを手を替え品を替え言う。

サラがいて良かったと思う。私にもそういう会話の操作はできるけれども、疲れているとできなくなるし、何より、何か少しだけ相手をやりこめようとでもいうような悪意が働く。けれどもサラは、一切の邪心なく顧客の機嫌を取る。

　サラがうまくやればやるほど、私は首を捻る。感情が減らないロボットの方がうまくやれることなのに、どうして顧客たちは相手が人間であることにこだわるのだろう。

　首を捻りながらも、結局答えはわかっている。人間は「減る」からだ。ある層の顧客は、誰かにその人の感情を自分に使ってもらって「減って」ほしい。影響力を行使したい。私は日に日に、そのことに対する嫌悪感を抑えるのが難しくなってきているのを感じる。料理の話が一通り終わると、顧客Rはそれまでと同じようにサラ（私）を侮辱し始める。でもオーブンのある部屋ぐらい男に買ってもらいなさいよ。顧客Rも疲れてきているのか、侮辱の内容が雑になってくる。サラは、寝るところがなければ衰弱して魅力がなくなり、パートナーにも見つけてもらえませんから、と応戦する。

「まあ、でも他人の人生を金で買うような爺はやめておきなさい」

　どっちなんだ？　言葉の一手ごとに、顧客Rは地雷を仕掛ける。私の仕事はそれを丁寧に踏むことだ。私は、サラに仕事を代わってもらっている立場でありながら、無力感で涙が出てくるのを感じる。洟をすすると、サラが私を振り向く。私はサラに向かって、会話に戻ってと手振りで示す。

「私は買われません。買ってくれる人もいませんし」

「買うという人がいたらどうする？　二X歳だとか年上の人が現れて、料理でもしながら

家で待っていてくれたらいい生活ができる、と言ったら？」

「私の料理の腕前では、私一人を食べさせるので精一杯です」

サラは会話を投げ出さずに言葉を返す。顧客Rは、何か言おうと口をかすかに開いたもの の、結局その言葉は飲み込むように口をつぐむ。

「疲れたわ」

「お疲れさまでした」

フェイク動画の私が会釈をする。やっとか、と私は溜め息をつく。顧客Rは、今日は四時間話した。時間の上ではこの後、指名なしの流しのお客さんと雑談をしたりもできるのだが、そんな気力はない。途中でサラに代わってもらったにもかかわらずだ。

私はこの仕事に適性がないのかもしれない。

もやのようにうすうす思っていたことが、目に見える形になっていくのを感じる。

その日の顧客Rとのセッションはそうやって終わり、私は、涙を拭きながらモニターの周りを片付ける。仕事から解放されたサラが、私を見上げて目で追っているのを感じる。

私は、サラのボディの肩のような所を軽く叩く。ひんやりしている。

「二X歳」

「なに？」

「NさんとRさんの新たな共通項です」

「ああ」サラは、顧客Nと顧客Rの会話のログをモニターに映し出して比較をはじめる。私はその様子をぼんやり見つめる。「あの人たちって表向きにはなんにも同じ所がないけど、どうして両方とも私のことを気に入るんだろうって思うよ」

「男性と女性で年齢も全然違いますけど、似ているところはありますよ。説明すると長くなります」

「だろうね。そのうち教えて欲しい。でも今は寝るよ」

私はサラを抱え上げて、洗面所に歯を磨きに行った。サラは、室内ぐらいなら自走できるのだが、私はサラを抱えたかった。サラが立てる、小さなヘアドライヤーのようなファンの音が心地よかった。

◇

その日の昼過ぎ、私はまず顧客のCさんと話していた。離婚歴のあるCさんは、息子も娘も進学のために家を出てから、休みの日の会話の量が減って、どうも体の中に何かが溜まるような気がする、という理由で頻繁にサービスを利用している人だったが、長くも深

くも話し過ぎない、誰と話してもいいような話題で満足する、かなり穏当な顧客だった。

　Cさんはペットを飼いたいという話をしていた。うちは子供たちがアレルギーで、でも家を出てったからようやく動物を飼える、って思って引っ越し先を探したんだけど、高いのね、生体を飼える物件はね、と残念そうに言うCさんに、私は、ロボットと住むという手もありますよ、とサラを見せた。

　こんにちは、ご予算で生体と暮らせる物件はお近くにありますが、一階ですからご希望に添えませんね、と話すサラを見て、Cさんは、あらかわいい、と手を振った。サラはアームを振り返してまばたきした。

　Cさんはサラを気に入り、私もうれしかったので、サラと三人で話をした。サラは、集合住宅では基本的に鳴く動物が忌避されますので、爬虫類両生類や水棲動物について管理会社に相談してみればどうしょう？　とウーパールーパーを提案して、Cさんは喜んでいた。それからは、もし住宅もお金も制限がなければ何を飼いたいか、という話をした。私はゾウで、Cさんはキリン、サラはヒツジだった。

　三人で話すのもおもしろいね、とCさんが言った。そういえば昨日は、別のアテンダントさんの所で、他の利用者さんと話したんだけど、楽しかったですよ。さすがにアテンダントさんが、この人とこの人は合うだろうってマッチングしてくれるとね。

セッションのシステムに、別の顧客を招き入れるシステムのベータ版がリリースされたという通知は確かに読んだ気がする。ありふれた機能だが、このサービスでは、アテンダントの責任の下に別の顧客と話せることが大事なのだそうだ。

　Cさんとのセッションのあと、私はサラに自分を指名する顧客たちとの会話のログを改めて見直してもらい、誰と誰が相性が良さそうかということを把握した。だいたいは予想できたのだが、意外だったのは、顧客Nと顧客Rに関して「配偶者同士でもおかしくない」というサジェストがあったことだ。

「これ、わかるような、わからないような……」

「補完関係にあるという意味で、そうであると私は分析します」

　会話のログの見直しで、サラにけっこう大きな負荷を与えてしまったので、私はサラを「帰っていいよ」とホームに行かせて充電してもらうことにして、自分は昼寝のために横になる。

　指名はなかったし、その時点でその月の稼ぎは十分だったし、悪くない日だったと思う。けれども夕方に、顧客Rから呼び出しが入った。事前予約のない呼び出しには応えなくても良い、と一応言われてはいるので、対応しようかどうか迷いながら寝ていると、今度は管理運営本部が連絡をしてきた。今日は気圧の関係で話したがる人が多くてみんなふ

さがっているから、頼むからRさんの呼び出しに出てくれ、という。Rさんは、電子マネーに関してはかなりの高額利用者で、できるだけ要望には応えたいそうだ。

あなたを気に入ってるみたいなんで、という言葉にすこしぞっとしながら、私は起き上がってモニターの前に移動する。サラ、と呼んでもこなかったので、まだ充電は済んでいないのかもしれない。

呼び出しに出ても、しばらく不機嫌そうに黙り込んでいた顧客Rは、それで引っ越し先は決まったの？　とだるそうな声でたずねてきた。私は、まだです、と答えた。顧客Rは、いいかげん早く引っ越してよ、と言った。寝る場所がどうのって話なんか聞きたくないの、興味ないし想像しにくいのよ。

私は、やっぱり寝たかった、とぼんやりしながら、「引っ越しのことで頭がいっぱいだから恋人探しの話はできない」という言い訳はもう使えないのか、と暗澹たる気持ちになる。

「何とか言ったらどうなの？」

「すみません。本当に悩んでて」

実は引っ越しなんかしない、私の生活はほとんど、あなたが興味が持てなくて想像しにくいことで構成されている、と言いたかったが頑張ってやめた。

それで結局、「何とか」は言えない。私は、トークアテンダントとして行き詰まりなが

ら、人間としては、この人自身が他人に「何とか」を言えなくしているのに「何とか言え」と要求するのはひどいよ、と思う。

そうだ。ひどいのだ。

あくびをかみ殺していると、顧客Nからも呼び出しの通知がある。こちらも予約がないし、無視していると、テキストでのメッセージが次々やってくる。〈出ろ〉〈出ろよ〉〈ばか〉〈出ろ〉〈話を聞け〉〈仕事しろ〉。

私は、管理運営本部に顧客Nに早急にアテンダントを回してくれと書き送るが、そちらからは、顧客Nはあなた以外のアテンダントを拒否しているという連絡が戻ってくる。

〈出ろ〉〈くそが〉〈出ろ〉。

顧客Rに追いつめられながら、顧客Nにせっつかれて、頭の中にうじゃうじゃと虫が湧くような

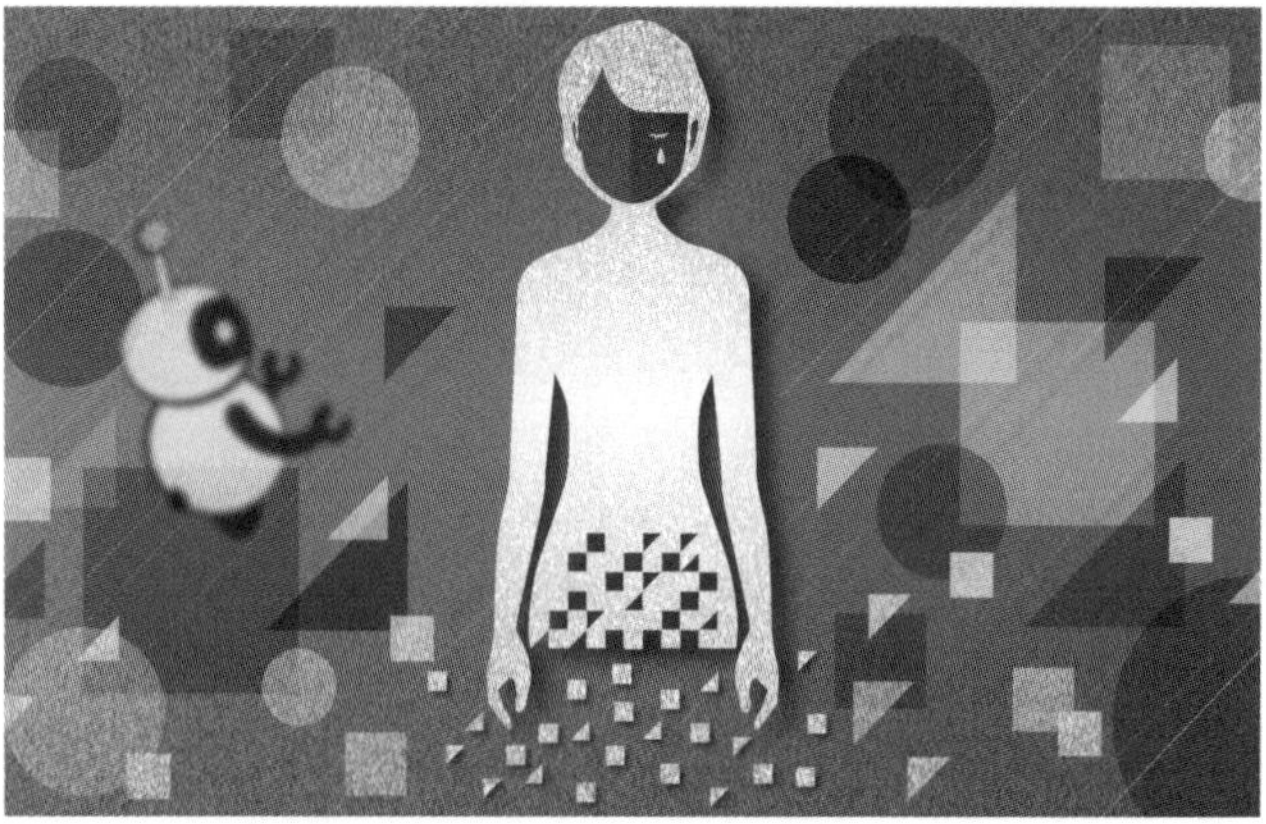

気分になる。顧客Nは何に苛立っているのだろう。もしかすると、話題にしていた二X歳年下の女性との関係に脈がなくなったのかもしれない。

なかなか戻ってこないサラに助けを求めようとすると、サラが廊下の向こうで転んでいるのが見えた。サラの動線は確保しているつもりでいたのだが、部屋が荒れていて適当に積んでいた物が崩れ、サラはそれにつまずいてホームに戻って充電できなくなっていたのだ。

できるだけ、0%になる前に充電するようにしてください、そうでないとバッテリーが傷むのが早まりますので、というサラを購入した時の店員さんの言葉を思い出す。

〈出ろ〉〈出ろよ〉。

「ねえ、ちゃんと聞いてるの?」

顧客Rの言葉を私は、「ちゃんと傷付いてるの?」と聞き間違えそうになる。

顧客Nと顧客Rが配偶者同士でもおかしくない、というサラの話が頭を過った。そこには決して、良い話し相手同士になりそう、という判定があったわけではないのだが、私はサラを放っておくことができなかった。

私は、顧客Nを顧客Rとのセッションに招待する操作をしたあと、立ち上がってサラを助け起こしに行った。サラのバッテリーは高額だ。交換には、サラ本体の三分の一の料金

を支払わなければならない。

サラをホームに置いて、仕事に戻らなければならないはずだったが、私は廊下に座り込んだままじっとしていた。

他人が気圧の関係で不安になって人と話したいのならば、自分は侮辱されることに疲れたし眠い、と考えたのを最後に、私は廊下で座って寝た。

◇

次の日の朝一番に、私は子供の頃から通っている診療所に行って、おじいさんの医者に「仕事中に突然眠ってしまって、雇い主に賠償請求などをされるかもしれません。どうしたらよいでしょうか？」とたずねた。おじいさんの医者は、少し考えたあげく、夜遊びで寝不足だったとかじゃなく、突然眠ったんだよね？　とたずねてきて、私は、はいとうなずいた。

よく寝るんだよ、あとストレスを避けて、と短く言われたあと、私は〈過労。後日ナルコレプシーの要検査〉という内容の診断書を受け取って、管理運営本部に提出した。

セッションの録画を確認すると、顧客Nと顧客Rは、突然私がうつむいたまま動かなく

なったことについて最初は少し話し合っていたが、すぐに両者共にやりとりが続けられなくなって、顧客Nが「文句を言ってやる」と言い残して先に消え、その後顧客Rも何も言わずに退室した。

管理運営本部は二人に、私の失敗について〈システムエラーのようです〉という、雑な説明をして、私は賠償を免れたが〈契約を切る〉と通達してきた。

私は失業することになったが、どこかほっとしてもいた。指名していたアテンダントがやめるという知らせを受けて、ごく少数ではあったがメッセージをくれた顧客もいた。Cさんはヤモリを飼うことにしたそうだ。

メッセージの中には、顧客Rのものもあった。

〈アテンダントさんの幸せを願っています〉。

私はうなずいて、じゃあこの仕事を辞めて幸せになりますね、と頭の中だけで言った。サラは私に新たな仕事を見つけた。やはり雑談サービスで、今度は若年層向けの深夜勤だった。でも在宅でできるので、それほど負担でもない。今度は通信教育の付帯サービスで、報酬は半分になった。

見た目が地味だとか、ほどほどにおもしろいけどおもしろすぎなくてやっぱり逆につまらない、などとやはり面と向かって言われるが、子供や若い人はただの印象として済ませてくれる人がほとんどなのであまり傷付く気にもなれない。

今度は、サラを横に置いて仕事ができるようになった。サラは人気で、私はいらないからサラと話したいという人もいる。どうしてかそれとなく聞くと、としみさんは同じ話ばかりすると飽きたという顔をけっこうするけど、サラはそんなことはしないしかわいいからだという。

それはサラはロボットなので感情が減らないからですよ、減るほうが人と関わっている手応えがあっていいとかありますか？　とたずねると、その顧客は、減らないほうがいいでしょそりゃ、と呆れたように言った。私は、ですよね、と安堵しながら、サラの頭の後ろを見つめた。つるつるしているが、ほんの少しだけ温度を放っているのを感じた。

ビジュアルデータ

①英国の1人当たりGDP
AI普及で経済に恩恵も

「飛躍的な経済成長」という言葉で想起されるのが18世紀後半に英国で始まった産業革命だ。1750年までの英国の1人当たりGDPの伸びは緩やかだったが、産業革命で状況は一変。以後100年あまりで2倍に急増すると、20世紀に入って伸びは一気に加速した。

産業革命が現代につながる経済発展をもたらしたことは疑いないが、犠牲も伴った。当時の英国では機械化された工場が手工業に取って代わり、多くの人が仕事を失った。工場経営者の利益が急増する一方で労働者は苦しい生活を強いられ、格差が深刻化した。

英国の1人当たりGDPは産業革命を機に急伸した

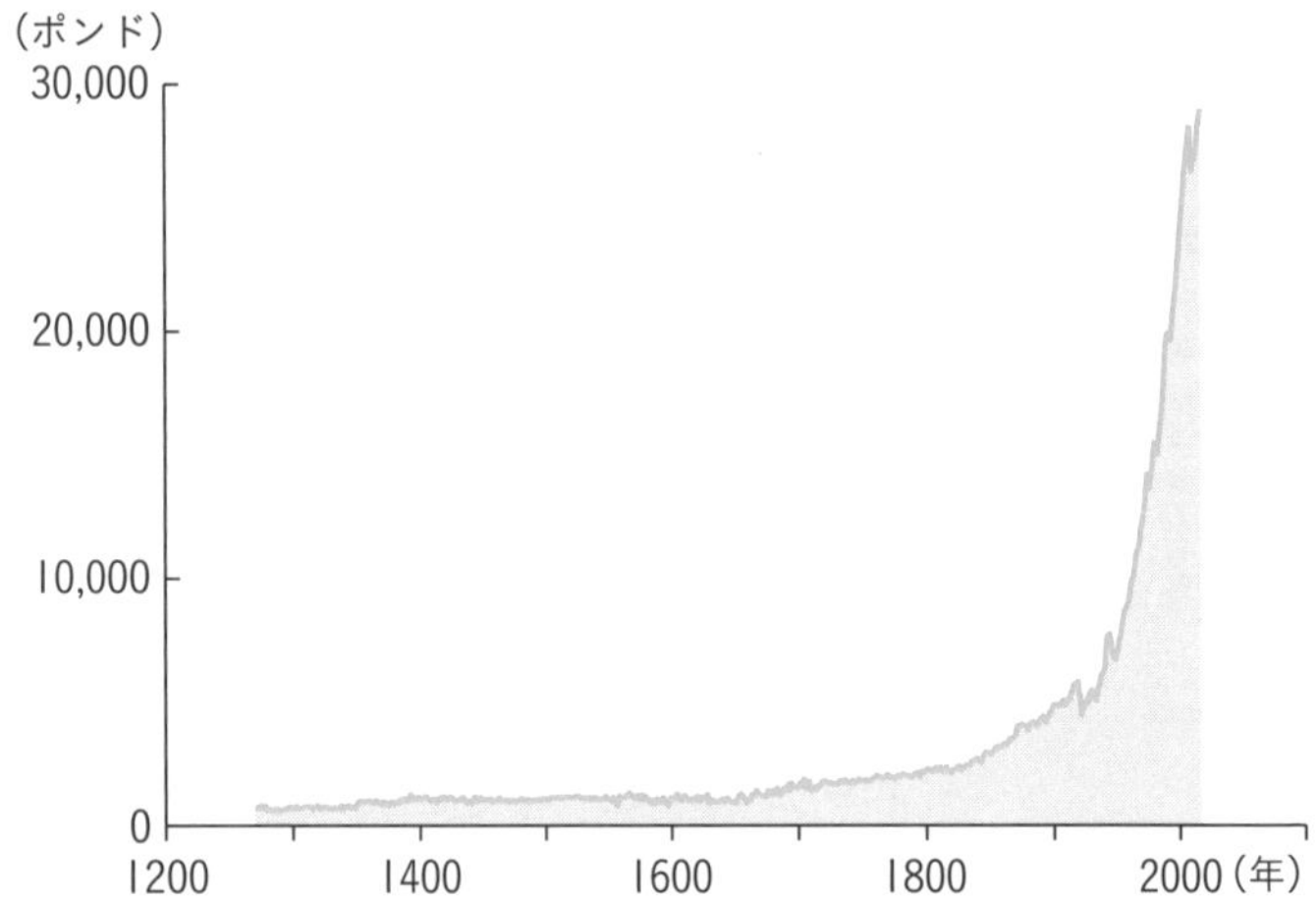

(注)インフレ調整後、2013年のポンドの相場に基づき算出。1700年まではイングランドが対象
(出所)英イングランド銀行、アワー・ワールド・イン・データ

②米国の職業別平均年収
デジタル人材に高い報酬

テクノロジーの進化の恩恵を受ける人と、そうでない人の差が生じ始めている。米労働統計局のデータをたどって2000〜22年の職業別の平均年収の変化を調べたところ、シビアな現実が姿を現した。

ソフトウエア開発者やデータサイエンティストなど「コンピューター、数学」関連の職業は22年に約10万8000ドル（約1500万円）に達し、20年で2倍近くに増えた。インターネットやスマートフォンの普及で経済構造が変わり、デジタル全盛の時代に合った知識とスキルを持つ一部の人材は高い収入を得るようになった。

教育や調理、接客、営業、製造など雇用者数の多い職業も確実に年収は伸びているが、その水準は「コンピューター、数学」の3〜6割ほどにとどまる。住宅費や教育費が高騰するなか、苦しい生活を強いられる「庶民」は多い。

■ 米国では過去20年あまりで職業ごとに年収の伸びに差が生じた

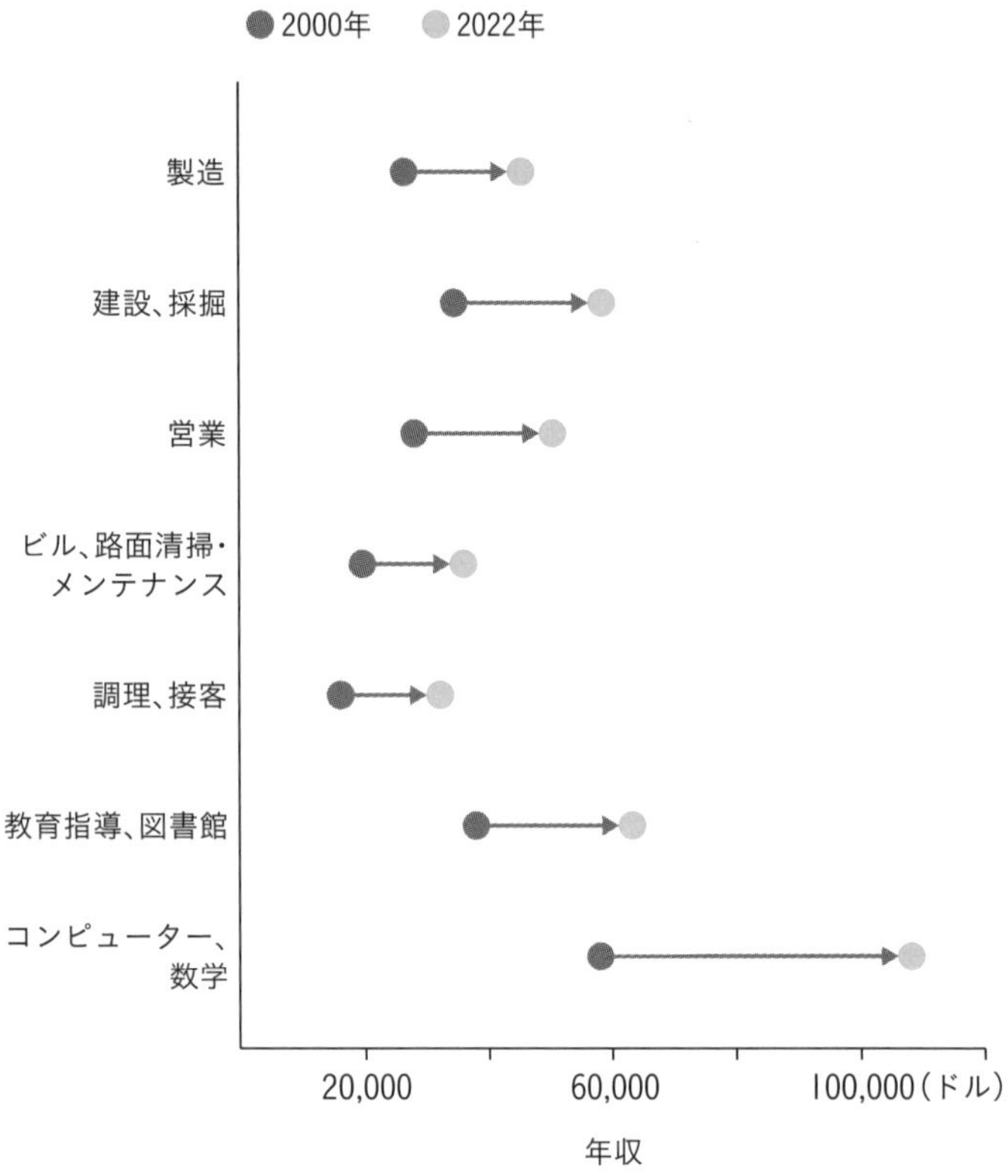

（注）米労働統計局のデータをもとに作成。平均年収を比較

③AIで自動化される職業
米国の仕事の4分の1に影響

生成AIの普及が進むと、テクノロジーが及ぼす雇用への影響が異なる形で顕在化するかもしれない。米国を対象にしたゴールドマン・サックスの分析では、現在の業務の4分の1がAIによって自動化の対象となる可能性がある。

オフィス・事務サポート（46%）、法務（44%）、ビジネス・金融のオペレーション（35%）などの仕事が影響を受けやすい。影響が小さいのはビルや路面の清掃・メンテナンス（1%）や機械の設置、保守、修理（4%）など身体を使う職業だ。

■ 自動化にさらされる割合

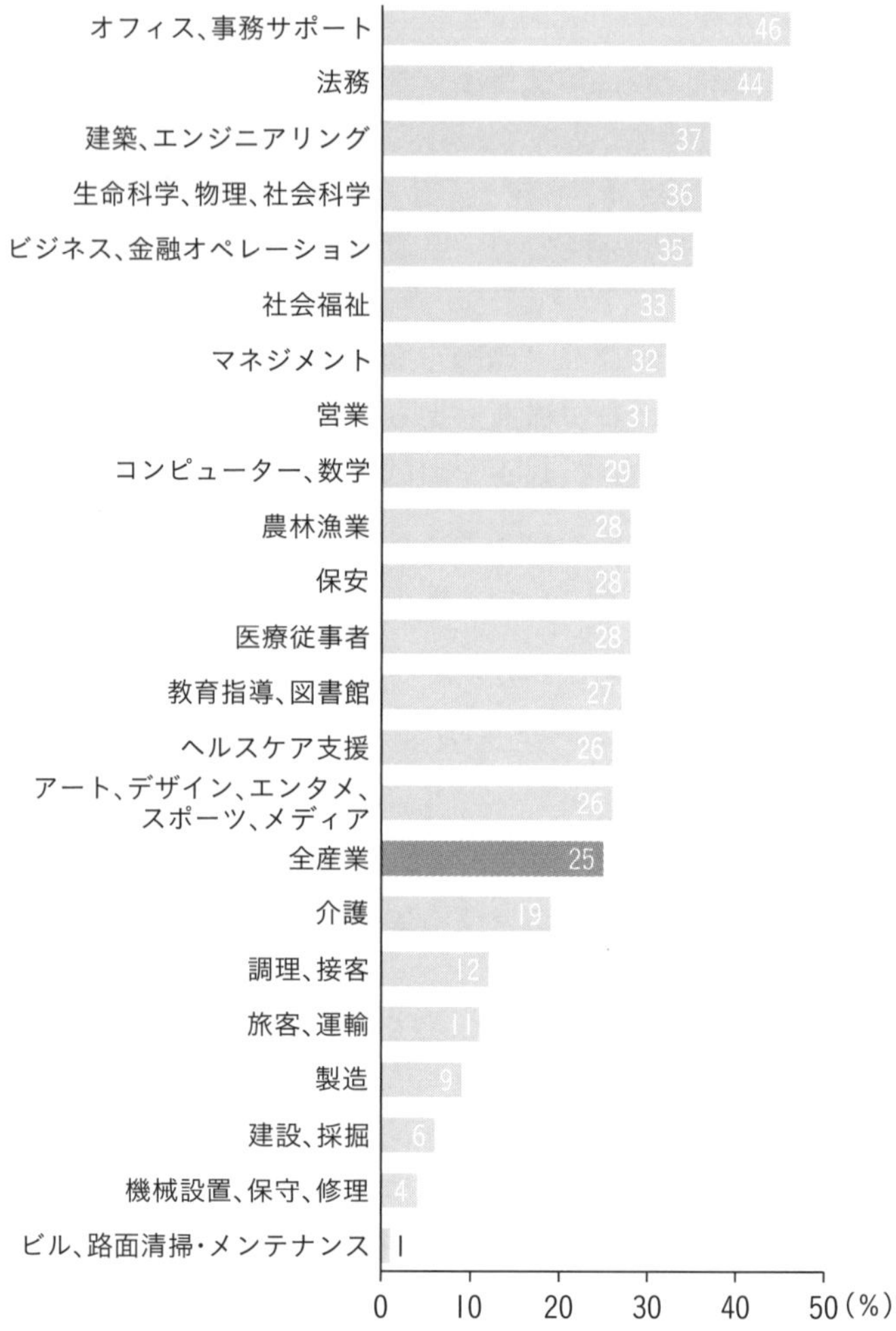

(出所)米ゴールドマン・サックス

④技術が生む新たな雇用
AIブームでデジタル人材不足も

AIによって様々な「頭脳労働」が自動化される可能性がある。各国の産業構造によってインパクトの度合いは変わり、農業などの割合が高い新興国は先進国に比べてAIの影響を受けにくいと考えられる。

長い目で見ると、技術の進化や経済構造の変化が新たな職業を生む可能性もある。

10年ほど前にAIブームが始まって以降、データサイエンティストやエンジニアといったデジタル人材の不足が指摘されてきた。足元では生成AIに指示を与え、高度な作業をこなす「プロンプトエンジニアリング」と呼ぶ技能が注目を集めている。

気候変動対策やサイバーセキュリティーといった領域でも働き手の需要の拡大が見込まれる。生成AIによる仕事の自動化が進んだ場合、適切に手を打たないと産業革命当時の労働者のように大きな痛みが生じかねない。成長領域に働き手が円滑に移行できるよう、政府や企業はリスキリング（学び直し）などに一層力を入れる必要がある。

■ 技術の進化は専門職などで新たな雇用を生んだ

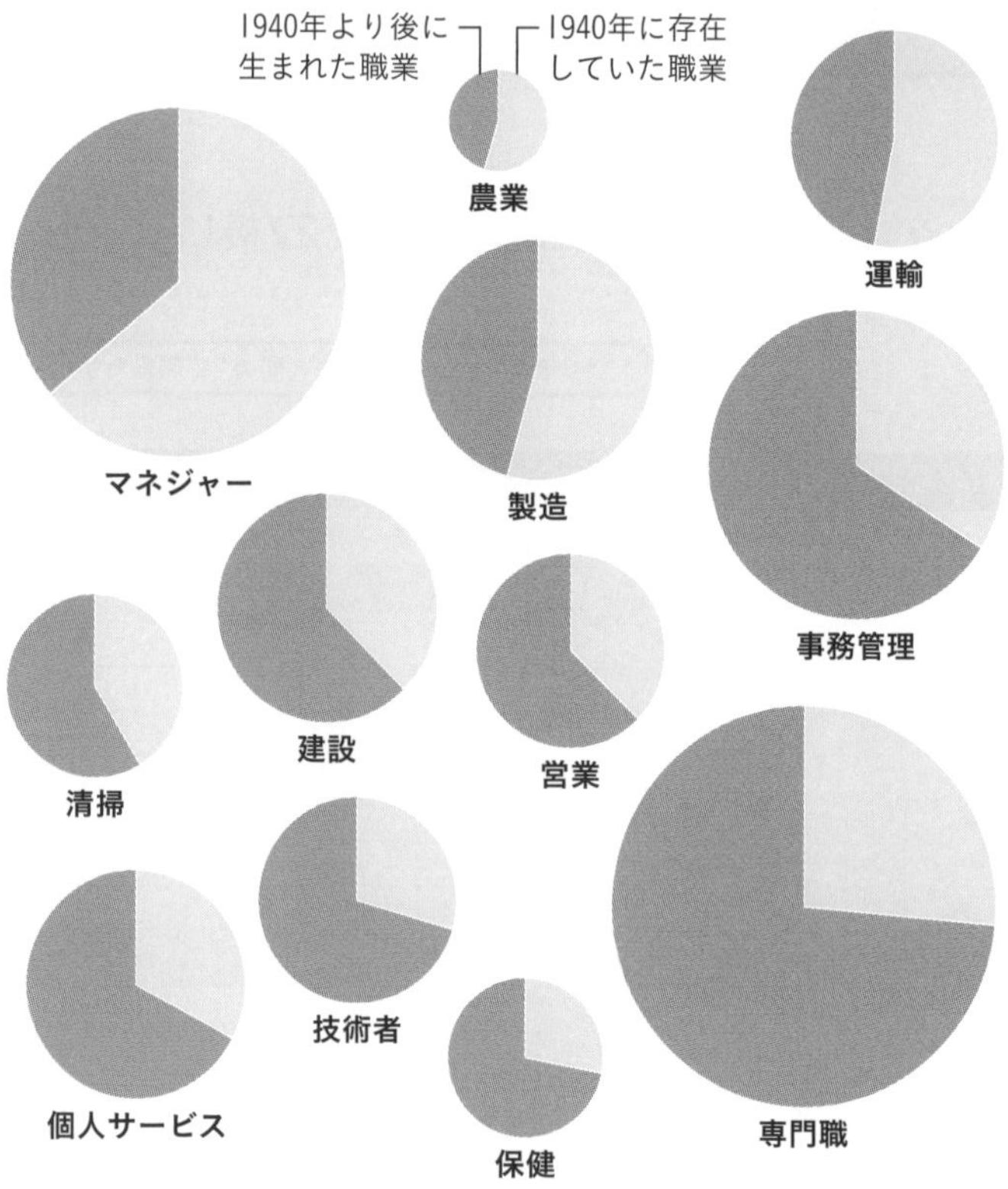

（注）デビッド・オーター氏らの研究、米ゴールドマン・サックスの報告をもとに作成。円の大きさは雇用の規模を表す

⑤年表「技術革新と社会の動き」

人類の生産性、250年で27倍に

1760年を1倍としたときの人間の1時間当たりの生産性

技術革新が社会に影響を与えてきた

年	主な技術革新	社会の動き	生産性
▼動力が自動化			
1769	蒸気自動車の発明		1倍
1796	天然痘ワクチンの初接種		
1811		労働者が織機を破壊する「ラッダイト運動」	
1863		リンカーン米大統領の奴隷解放宣言	
1876	ベルが電話を発明		3倍
1895	レントゲンがX線を発見		
1896		第1回近代オリンピック	
▼食料・エネルギーに革命			
1900	ラジオの技術の発明		
1906	アンモニア合成法の発明		
1914		第1次世界大戦が勃発	
1920		国際連盟が発足	
1928	米国でテレビの実験放送		
1929		世界大恐慌	
1938	核分裂の現象を発見		5倍
1945		第2次世界大戦で原爆が投下	

（出所）英イングランド銀行、および米労働統計局のデータから民間企業が作成

1760年を1倍としたときの人間の1時間当たりの生産性

技術革新が社会に影響を与えてきた

年	主な技術革新	社会の動き	生産性
▼宇宙時代の幕開け			
1946	初期のコンピューター「ENIAC」が稼働		
1953	DNAの二重らせん構造の発見		
1957	人工衛星「スプートニク」打ち上げ		**10倍**
1963		ケネディ米大統領暗殺	
1967	インターネットの原型「ARPANET」研究開始		
1969	アポロ11号が初の有人月面探査		
1973	米モトローラが携帯電話を試作		
1978		英国で世界初の「試験管ベビー」が誕生	
1980		WHOが天然痘の根絶を宣言	
1986		チェルノブイリ原発事故	
1991		湾岸戦争、ソ連崩壊	
1995	米マイクロソフトがWindows95発売		
1996		クローン羊「ドリー」誕生	**20倍**
▼データ社会の到来			
2001		米同時多発テロ	
2005	「mRNA」を創薬に応用する基盤技術の開発		
2006	米ツイッターがSNS開始		
2007	米アップルがiPhoneを発売		
2008	暗号資産「ビットコイン」の論文発表	リーマン・ショック	
2011	カナダで初の商用量子計算機が稼働		
2012	使いやすい遺伝子編集技術の発明		**27倍**
2017	グーグルが生成AIの基盤技術を開発		
2018		中国でゲノム編集した双子が誕生	
2019	グーグルが「量子超越」を達成		
2020		新型コロナウイルスが世界的大流行	
2021		米連邦議会議事堂襲撃事件	
2022	米オープンAIがChatGPTの提供開始	ロシアによるウクライナ侵略	

（出所）英イングランド銀行、および米労働統計局のデータから民間企業が作成

①アプリ別「幸せ」分析
TikTokは「非リア」？

インターネット上の交流プラットフォームをうたうSNSの誕生から30年近くが経過した。SNS上ではリアルな生活が充実している「リア充」と、正反対の「非リア」の日常が入り交じる。各種SNSユーザーの実生活の満足度をランキングした南カリフォルニア大学の2023年の調査では、サービスごとの違いが浮き彫りになった。

「リア充」の利用が最も活発とみられるのが、ビジネスパーソン特化型で転職・採用などで用いられる「LinkedIn（リンクトイン）」だ。経済状況や社会生活などの満足度のランキングでは総じて上位につけた。

米起業家のイーロン・マスク氏が買収した「X（エックス）」（旧Twitter）のユーザーは人生が理想に近いかを尋ねた項目で満足度が低かった。ショート動画で勢いに乗る「TikTok（ティックトック）」のユーザーは仕事や日常生活、経済状況への不満が高く、「非リア」の傾向が強かった。

生活全般に満足度が高いのはLinkedInユーザーだ

アプリ別「幸せ」分析（主な10アプリを抜粋）

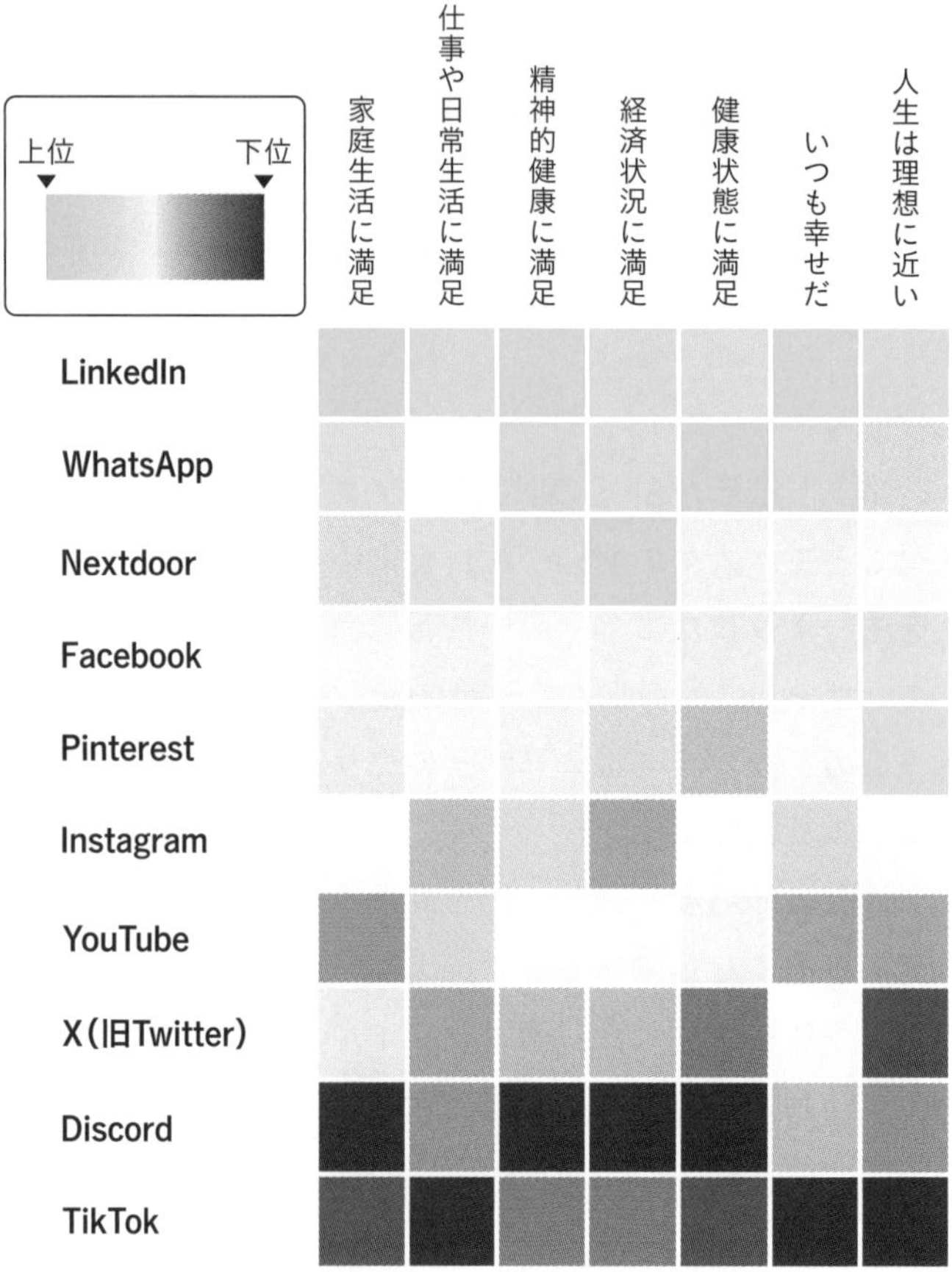

（出所）南カリフォルニア大学などによる調査からアプリ・設問を抜粋。米国成人1965人を対象に2023年実施

②SNSの利用者評価
Xで「有害な内容見聞き」3割

ネット広告がSNSの収益化のメカニズムに組み込まれたことで、人々の関心や注目を集めることは経済的価値を生むようになった。高い情報発信力を持つ「インフルエンサー」に広告収入の一部を還元する仕組みが広がり、一部のアカウントはユーザーのクリック数や滞留時間を競うようになった。

商品の知名度や売り上げを高めるために、あえて非難を浴びそうな行動をとる「炎上マーケティング」と呼ばれる手法も誕生した。南カリフォルニア大学などの調査で「社会に有害な内容を見聞きした」と答えたユーザーの割合は、XやFacebookでは30％前後に上った。

利便性や不快感、アプリで差

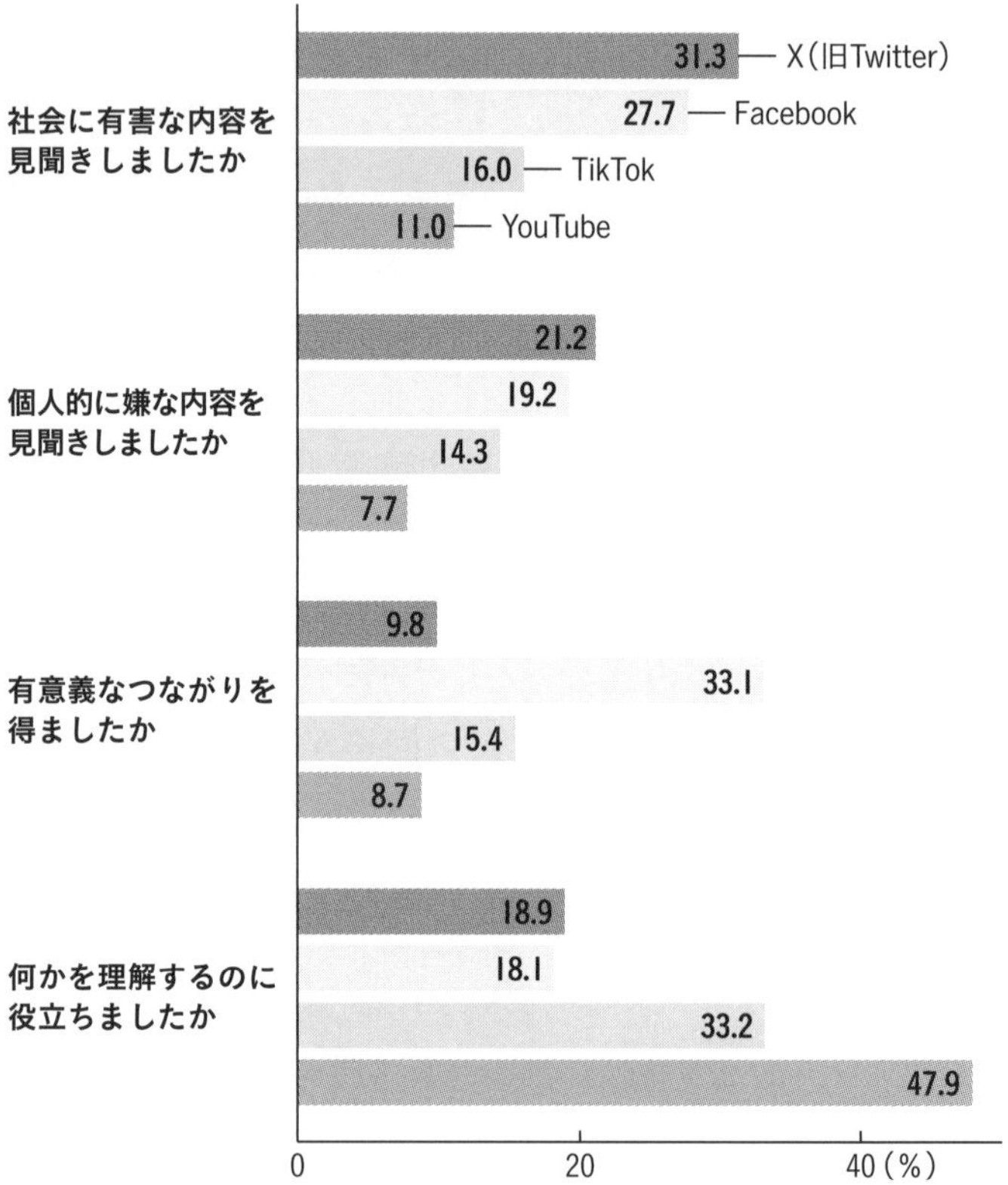

（出所）南カリフォルニア大学などによる調査からアプリ・設問を抜粋。米国成人1965人を対象に2023年実施

③国別のSNSへのイメージ
米国で「民主主義に悪影響」6割

2024年は米国やインド、欧州連合（EU）、韓国など各国・地域で大型選挙が実施される。自国の民主主義にとってSNSは望ましいのか、国や地域によって見方は分かれる。2022年のピュー・リサーチ・センターの調査によると、米国では「善」との回答が34％だったのに対して、「悪」とする回答は64％に上った。英国やフランスでは「善」と「悪」がほぼ拮抗し、日本では「善」が57％と「悪」の23％を上回った。

アジアではSNSが民主主義にとって「善」と考える国が多い

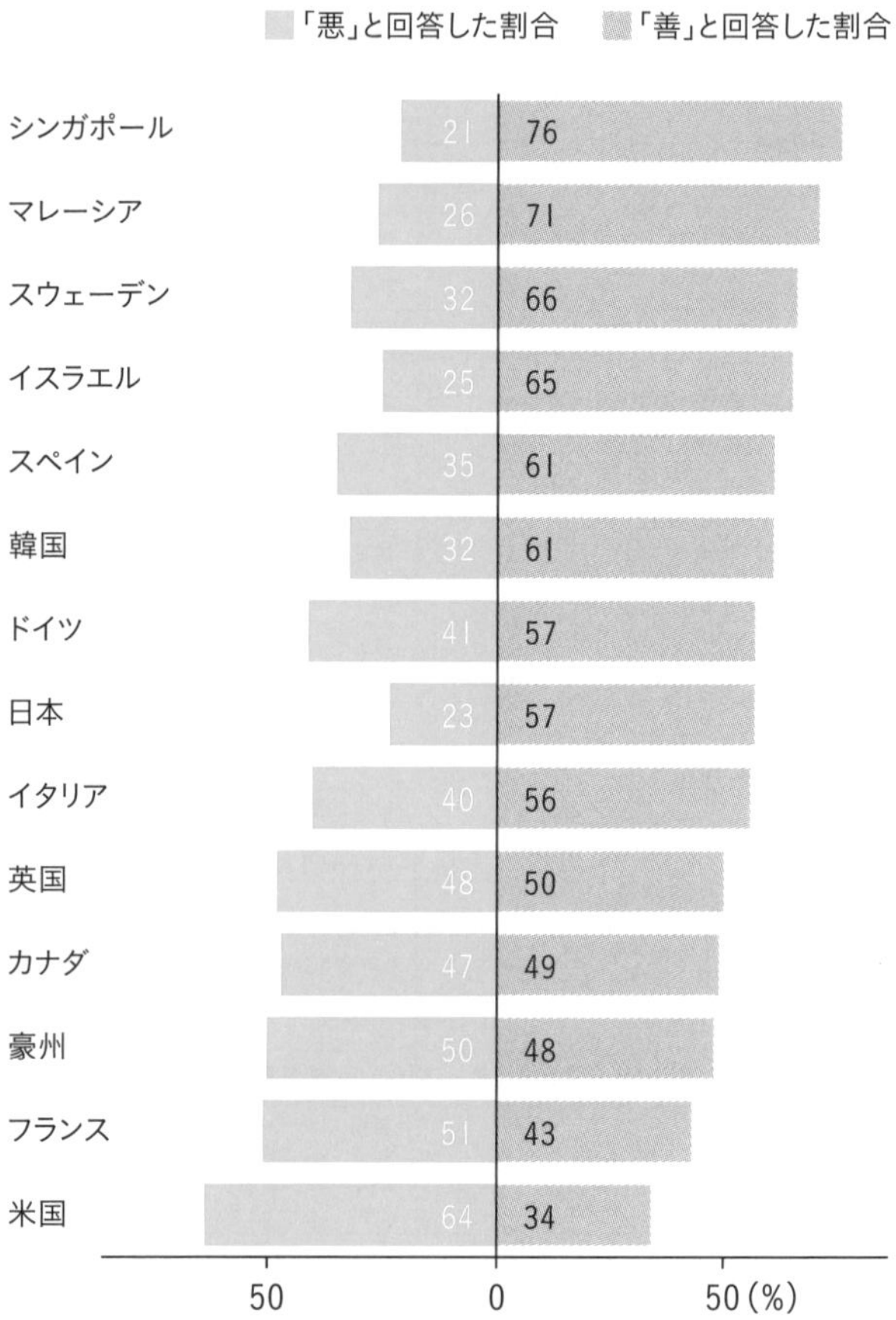

(出所)ピュー・リサーチ・センターの2022年調査から抜粋。無回答は非表示

SNSがつなぎ、壊した

年	主なサービスの動き	関連する出来事
【1990〜2000年代】ネット普及〜SNS草創期(名称のみはサービス開始を示す)		
1997	SNSの原型とされる「SixDegrees.com」サービス開始	
1999		「2ちゃんねる」開設
2002	ソーシャルゲームサイト「Friendster」開設	
2003	MySpace、LinkedIn	日本のインターネット普及率が6割超に
2004	Facebook(日本は2008年)、GREE、mixi	マーク・ザッカーバーグ氏ら、Facebook(現Meta)をハーバード大学で創業
2005	YouTube(日本は07年)	
2006	Twitter(日本は08年)	・ジャック・ドーシー氏ら、Twitterを設立 ・米GoogleがYouTubeを買収
2007		初代iPhone発売
2008		米大統領選でオバマ氏がSNSを積極活用
2009		ビットコイン誕生
【2010年代】スマホ時代、即時発信や決済で浸透(名称のみはサービス開始を示す)		
2010	Instagramがサービス開始	
2011	WeChat、LINE	・アラブの春 ・東日本大震災
2012	Facebookが上場・Instagramを買収	
2013	・WeChatが決済サービス ・Instagramが広告配信	・日本でネット選挙運動解禁 ・悪ふざけを投稿する「バイトテロ」相次ぐ
2014	LINEが決済サービス	
2015	TwitterのCEO交代	
2016	Facebookが消費者向けVR端末	・熊本地震で偽画像流布 ・米大統領選で海外の介入焦点に ・iPhone累計販売10億台突破
2017	TikTokがサービス本格展開	
2018	Facebookの個人情報が流出し不正利用された問題が発覚	米議会でSNSを巡る公聴会始まる
2019	Twitterが政治広告禁止	
【2020年代】フェイク深刻化、経営問題も		
2020	Instagramがショート動画機能	・新型コロナウイルス禍拡大と偽情報拡散 ・女子プロレスラーの木村花さんがSNSで中傷され亡くなる ・トランプ米大統領がTikTok「禁止令」
2021	・Twitterがトランプ氏アカウント凍結 ・Facebook、Metaに社名変更 ・Twitter共同創業者、CEO退任	・トランプ氏支持者が米議会占拠 ・トランプ氏が自身のSNS立ち上げ発表
2022	イーロン・マスク氏がTwitter買収	・ロシアがウクライナ侵略 ・ウクライナのゼレンスキー大統領が国外逃亡との偽情報をSNS上で否定 ・Meta、情報流出巡る訴訟で和解
2023	・MetaがThreads開始 ・Twitter、サービス名をXに。閲覧数に応じた広告収益プログラム開始	・米シリコンバレーバンクの経営不安がSNS上で拡散後、経営破綻 ・「米国防総省付近で爆発」の偽画像拡散
2024	X、決済サービスの年内提供を発表	・能登半島地震で偽の救助要請が拡散 ・若者保護を巡り、米上院公聴会にSNS大手5社のトップが出席し謝罪

「テクノ新世」取材班

川合智之／白石武志／加藤宏志／干場達矢／早川麗／飯山順／岩城聡／
多部田俊輔／久門武史／羽田野主／花房良祐／桂星子／高見浩輔／生川暁／
渡辺直樹／八十島綾平／草塩拓郎／京塚環／細川幸太郎／大林広樹／若杉朋子／
寺岡篤志／伴正春／藤井寛子／比奈田悠佑／福冨隼太郎／越川智瑛／江口良輔／
龍元秀明／花田亮輔／中藤玲／小河愛実／水口二季／岩澤明信／上田志晃／松添亮甫／
友部温／今橋瑠璃華／清水孝輔／赤間建哉／前田悠太／尾崎達也／亀田知明／
山田遼太郎／渡部泰成／西郁紘子／吉田圭織／赤木俊介／江口和利／山口平／
藤田心／松田崇／福田航大／谷井彩乃／中島沙由香／佐藤未乃里／高山智也／
熊谷有佳／熊田明彦／工藤千尋／湯澤華織／佐藤綾香／久能弘嗣／
伊藤岳／中川万莉奈／東條晃博／池田奈央／山田達／坂井爽太郎／川上葉子／
遠藤啓生／西嶋竜二／遠藤彰／高橋丈三郎／碓井寛明／荒川司

テクノ新世　技術は神を超えるか

2024年7月17日　1刷1版

編　者　日本経済新聞社

発行者　中川ヒロミ
発　行　株式会社日経BP
日本経済新聞出版
発　売　株式会社日経BPマーケティング
〒105-8308 東京都港区虎ノ門4-3-12

装　丁　沢田幸平（happeace）
DTP　マーリンクレイン
印刷・製本　シナノ印刷株式会社

ISBN 978-4-296-12025-3
Printed in Japan

本書籍に関するお問い合わせ、ご連絡は下記にて承ります。
https://nkbp.jp/booksQA